13.50

COMMENT
gérer
efficacement
son
supérieur
hiérarchique

GUY DESAUNAY

COMMENT
gérer
efficacement
son
supérieur
hiérarchique

Dunod

Licencié en psychologie, docteur en sociologie, **Guy Desaunay** qui est actuellement professeur au CESA (HEC, ISA, CFC), a une longue expérience des relations concrètes en entreprise.

Du même auteur :
Comment gérer intelligemment ses subordonnés

Nouveau tirage, 1985

© BORDAS, Paris, 1984
ISBN 2-04-015616-X

Table des matières

Deuxième partie

**La mise en œuvre de la gestion
du supérieur hiérarchique**

« Qui veut manger à l'écuelle du diable,
doit avoir une longue cuillère. »
(Proverbe français)

Avertissement

« Un seul bracelet ne tinte pas. »
(Proverbe peuhl)

C'est en animant des séminaires sur le commandement, c'est-à-dire sur la gestion des subordonnés, que s'est posé à moi le problème de la gestion du supérieur hiérarchique. En effet, la plupart des participants semblaient avoir autant de problèmes avec leurs propres supérieurs qu'avec leurs subordonnés. Et de façon bien normale, quoiqu'un peu égoïste, ces problèmes les préoccupaient beaucoup plus. Très souvent, les conversations durant les repas et les pauses ont porté sur tel ou tel supérieur apparaissant comme particulièrement difficile. Pour améliorer la qualité des réponses que je pouvais apporter à telle ou telle question, mes efforts ont porté dans deux directions. J'ai tout d'abord interviewé un assez grand nombre de cadres ou d'employés qui avaient réfléchi à cette question et qui pratiquaient déjà plus ou moins consciemment, plus ou moins logiquement, une gestion de leur supérieur. L'ouvrage présenté ici, est d'abord la mise en ordre du matériel ainsi recueilli. Ce matériel était très divers, car les entretiens étaient très libres et il a été ensuite distribué selon différents chapitres, qui eux, suivaient un ordre pré-établi. Une partie du matériel n'a pas été utilisée. Je remercie très vivement toutes les personnes qui m'ont ainsi apporté leurs concours.

J'ai, en même temps, tenté de me documenter en recherchant ce qui avait été écrit sur la question. C'est sans trop d'étonnement que j'ai constaté qu'il n'y avait pas grand'chose. De façon fort révélatrice de l'univers qui est le nôtre, l'immense littérature sur la relation hiérarchique est à sens unique : elle ne s'intéresse qu'au supérieur, qu'au chef, qu'au commandement, ou évidemment à l'obéissance dont chacun sait qu'elle est une vertu.

Par ailleurs, c'est une littérature édifiante. Elle dit ce que devrait faire un « bon » supérieur hiérarchique ou un « bon » subordonné. Elle ne tient guère compte d'une réalité qui est beaucoup plus dure, plus cynique[1], où pas mal de coups sont portés même s'ils sont officiellement prohibés.

Ce n'est guère que par accident que la vérité montre parfois le bout de l'oreille. C'est ainsi qu'à propos des entretiens de recrutement, un auteur écrit[2] : « cet entretien est trop important pour vous, pour que vous (*le subordonné*) ne donniez pas des informations FAUSSES »[3]. C'est, évidemment, VRAIES qu'il voulait écrire, et la double négation l'a pris au piège d'un beau lapsus.

Interprétons le lapsus : l'auteur sait bien que les informations fausses ont une fichue importance, mais de là à l'écrire !

Il en est de même dans la littérature plus spécifique de la gestion. C'est que les modèles de gestion de relation humaine que nous connaissons, sont restés extrêmement classiques. Ils sont très tributaires des conceptions qui ont présidé à la mise en place des hiérarchies religieuses ou militaires : il y a d'une part des chefs et des responsables qui commandent et qui conçoivent, et d'autre part des subordonnés qui obéissent et qui exécutent. Entre les deux, la relation est unilatérale ; elle va du haut vers le bas, sous-entendu du savoir vers l'ignorance, de la responsabilité vers l'irresponsabilité, etc.

Or, cette conception est passablement irréaliste dès que l'on n'est plus dans un univers où règne la seule force. Dans les entreprises actuelles, pour diverses raisons (contrôle de l'État, contre-poids des syndicats, complexité technique du travail) cette conception est d'ailleurs battue en brèche. On conseille

---

1. C'est pour souligner ce fait que nous avons placé des proverbes en exergue de nos différents chapitres, car les proverbes ont la crudité de leur origine populaire.

2. D. POROT, *Comment trouver une situation*, Ed. d'organisation, Paris, s.d., 8ᵉ édit., chap. 11, p. 16.

3. Souligné par nous.

maintenant aux chefs de commander aussi en tenant compte des motivations de leurs subordonnés ; on leur enseigne la nécessité d'une communication ouverte avec eux.

Cependant, le renversement de perspective qui s'est opéré dans la connaissance n'a pas encore vraiment touché ni les conceptions, ni la pratique du commandement dans les entreprises. Ce renversement est cependant fondamental. Il montre qu'aucune relation ne peut être unilatérale, qu'elle ne peut être qu'une interaction entre les individus en présence. Prenons un exemple simple : le comportement d'un jeune enfant n'est pas que la conséquence du comportement de ses parents. Quelques mois après sa naissance, un enfant a déjà une certaine autonomie de comportement, et ses parents réagissent à ses comportements, ce qui influe sur leurs propres comportements. Chacun sait qu'un enfant qui crie obtient ainsi pas mal de choses de son entourage. On a donc un système interactif : le comportement de « A » influe sur le comportement de « B » ; puis « B » réagit, puis « A » réagit à la réaction de « B », et ainsi de suite.

Il en est exactement de même dans les entreprises et les organisations en général, qu'elles soient publiques ou privées, de production ou de service, orientées ou non vers le profit. La plupart des responsables, même s'ils en ont une certaine intuition, n'en ont pas encore vraiment pris conscience. Quant aux subordonnés, ils n'en ont pas tiré les conclusions, car un subordonné peut gérer son supérieur, exactement comme un supérieur tente de gérer ses subordonnés. Avec, certes, une différence fondamentale, c'est que la relation de pouvoir n'est pas la même. Le supérieur peut imposer, le subordonné ne le peut guère, sauf exception. Si les principes sont les mêmes, les modalités d'application sont, bien sûr, différentes.

Gérer son supérieur hiérarchique, obéit aux mêmes principes que toute gestion : c'est optimiser un résultat sous contrainte. C'est donc tirer le meilleur parti possible d'une situation donnée. On ne peut guère modifier cette situation : le supérieur est ce qu'il est, l'entreprise est ce qu'elle est, et vous-même avez votre caractère, vos qualités et vos défauts, et ce que la vie vous a apporté ou non : des diplômes et de l'expérience sur lesquels on ne peut plus revenir. Mais cette situation peut être aménagée, c'est-à-dire managée. Plus précisément, c'est votre relation avec votre supérieur qui peut être gérée, c'est-à-dire optimisée.

Pour ce faire, plusieurs moyens sont utiles, sinon nécessaires. Le premier est de prendre conscience de ce qu'est, en général, un supérieur hiérarchique et de ne plus se laisser prendre aux pièges simplistes mais efficaces qu'utilise le pouvoir pour sidérer les subordonnés et les amener à ne pas remettre en question le caractère unilatéral de la relation hiérarchique.

Le second est de prendre une vue plus objective de ce qu'est réellement votre supérieur hiérarchique. Pour diverses raisons (entre autres la crainte) cette vue est généralement brouillée, et ce brouillage hypothèque lourdement la possibilité d'établir une relation efficace, c'est-à-dire qui vous permette de tirer le meilleur parti des caractéristiques, défauts ou qualités, de votre supérieur.

Il est enfin utile de mieux connaître et de mieux comprendre les caractéristiques de l'entreprise dans laquelle vous vivez. En effet, ces caractéristiques spécifient fortement le type de relation que vous pouvez avoir avec votre supérieur.

Ces connaissances préalables établies, il faut passer à la mise en œuvre. Le premier point à fixer, c'est le type de relation qu'il est souhaitable d'établir avec votre supérieur : doit-on collaborer ? Doit-on lutter ? Peut-on éduquer son supérieur ? etc. Ce choix doit se faire en fonction de plusieurs paramètres : votre caractère, celui de votre supérieur, les caractéristiques de l'environnement, les alliances possibles, etc.

Le type de relation décidé, on peut, pour l'établir ou modifier le type existant, utiliser un certain nombre de moyens. Le plus important de ces moyens, c'est l'affectivité de votre supérieur. Généralement, on voit cette affectivité comme un élément négatif qui affecte la relation avec lui, mais sur laquelle on n'a pas prise, car elle est censée découler de son caractère et être immuable. Ceci n'est qu'en partie vrai, et cette gestion offre en fait des moyens d'action variés.

Un autre élément important de la gestion de la relation avec le supérieur hiérarchique, c'est la gestion de l'information. Comment s'informer, de quoi informer. On dit que l'information c'est du pouvoir. C'est assez vrai, et gérer l'information est un des moyens fondamentaux dont dispose un subordonné.

Dans un ordre d'idées voisin, il faut gérer le langage, la logique, tous les pièges de la communication qu'il faut éviter et qu'il faut déjouer lorsque d'autres les utilisent et tentent de vous y faire tomber.

Enfin, il est utile de se préparer efficacement à deux temps forts de la relation avec le supérieur : la réunion et l'entretien, c'est-à-dire les deux moments où la relation est la plus directe et la plus intense, moments délicats mais moments fondamentaux pour qui sait les utiliser.

première partie

Les connaissances nécessaires à la gestion du supérieur hiérarchique

« Connais ton adversaire et connais-toi toi-même et tu pourras livrer cent batailles sans connaître un désastre. »

SUN TZU. *L'art de la guerre.*

1/ Qu'est-ce qu'un supérieur hiérarchique ?

Qu'est-ce qu'une hiérarchie ?

> « Le roi des singes est-il roi ou est-il singe ? »
>
> (Devinette peuhle)

Très curieusement, étymologiquement, la hiérarchie est un système de commandement où la justification de ce commandement tient au caractère sacré (hieros) de ceux qui commandent. Le mot « hiérarchie » ne devrait donc s'appliquer qu'à des contextes religieux. Si les entreprises utilisent ce mot, serait-ce qu'elles sont également persuadées que leur commandement a un caractère sacré ?

Peut-être ne s'agit-il que d'un usage traditionnel, mais il est assez révélateur. En tout cas, si les entreprises ne pensent pas ce caractère sacré, bien des supérieurs, eux, le pensent plus ou moins consciemment : au fond, vis-à-vis d'eux, le seul crime impardonnable est celui de lèse-majesté.

Première remarque, donc, le vocabulaire utilisé a un côté archaïque. Mais, s'agit-il seulement de vocabulaire ? La notion elle-même n'est-elle pas également archaïque ? Dans les années trente, un chercheur[1] découvrit un phénomène curieux dans les poulaillers : le *peck order.* Ce phénomène consiste en ce que, entre les différentes poules d'un poulailler existe une hiérarchie qui se traduit par le droit, pour une poule supérieure, de donner des coups de bec à une poule inférieure et ainsi de suite. Assez curieusement, la dernière poule a parfois ce même droit sur la première dans la hiérarchie.

Ces phénomènes de hiérarchie sont extrêmement fréquents parmi tous les animaux vivant en société, même si ces sociétés sont artificielles, et par exemple, créées par l'homme. Ces hiérarchies ont parfois une justification fonctionnelle : par exemple, les mâles chargés de défendre le troupeau sont également dans une position dominante. Assez souvent elles n'en ont aucune...

Or, les sociétés humaines restent très imprégnées de ce modèle. En fait, elles auraient le choix entre deux systèmes. Celui que nous connaissons, très rigide, qui donne à quelques individus un pouvoir considérable sur tous les autres. Ou, un système où le pouvoir ne serait pas confisqué, mais confié successivement, selon les besoins du moment à celui ou à ceux qui ont une compétence (technique, humaine, morale, etc.) pour résoudre les problèmes qui se posent à ce moment-là. Or, dans nos systèmes industriels actuels, cette notion de compétence n'est certes pas absente, mais elle est limitée à une compétence technique, qui n'est d'ailleurs souvent garantie que par un diplôme, c'est-à-dire par la réussite à un exercice qui n'a pas grand'chose à voir avec la vie réelle. Particulièrement, non seulement les responsables n'ont le plus souvent aucune formation ni aucune compétence dans la gestion des interactions avec autrui, mais de plus, ces postes attirent des individus qui croient avoir ces compétences, et n'ont, en fait, qu'un goût pervers pour la domination ou la manipulation d'autrui. Nous reviendrons sur ce point.

Les systèmes hiérarchiques que nous connaissons n'ont donc, très souvent, qu'une assez faible justification fonctionnelle : la gestion pourrait-être différente. Ils ne reposent que rarement sur une justification de compétence de relations humaines chez ceux qui possèdent le pouvoir. Ils reposent surtout sur le goût de quelques-uns pour le pouvoir, et l'acceptation par autrui de cette contrainte.

---

1. T. Schjelderup-Ebbe, *Le comportement social des oiseaux*, in Handbook of social psychology, Worcester, Mass., Clarck University Press, 1933.

Qu'est-ce qu'un supérieur hiérarchique ?

> « Plus le singe monte haut, plus il montre son cul. »
>
> (Proverbe français)

Un supérieur hiérarchique est donc quelqu'un qui est à l'aise dans un système rigide et qui a suffisamment le goût du pouvoir pour l'avoir recherché, conservé, augmenté. C'est donc quelqu'un qui a une structure psychologique particulière, à propos de laquelle on peut faire quelques remarques.

Les caractéristiques officielles des supérieurs

De nombreuses études ont été faites pour tenter de découvrir quelles sont les caractéristiques des gens qui sont arrivés à des postes de responsabilité importants. Nous en citerons deux à titre d'exemple qui sont assez anciennes, mais qui, justement, montrent bien le point de vue traditionnel. La première que nous citerons, est une étude qui porte sur les cadres supérieurs américains[2] qui ont réussi. Voici les caractéristiques de ces cadres :

— Le désir de réussir. Ils se conçoivent comme de gros travailleurs, et des réalisateurs qui doivent accomplir quelque chose pour être heureux.

— La tendance à la mobilité, dans le sens d'une recherche de responsabilités de plus en plus grandes, mais aussi d'un prestige et d'un statut social de plus en plus élevé.

— La relation à l'autorité conçue positivement, c'est-à-dire comme une contrainte utile. Le supérieur est conçu comme quelqu'un de plus expérimenté qui guide au moyen de certaines directives. L'autorité n'est pas ressentie comme destructive ou interdictive.

— La capacité à organiser des situations non structurées. Mais cette capacité est contre-balancée par une tendance à trop organiser et à plaquer une organisation toute faite sur des situations nouvelles.

— La capacité à décider. Il ne s'agit pas de la rapidité de décision, mais de la capacité à choisir entre plusieurs conduites et à s'y tenir une fois choisies.

---

2. W.E. HENRY, « Le cadre supérieur dans l'industrie », *American Journal of Sociology*, 1949, 54.

— Une structure du moi forte, définie comme la capacité à savoir ce qu'on est, ce qu'on veut, et à l'obtenir. Dans certains cas, cela va jusqu'à une certaine rigidité.

— Une certaine activité et une certaine agressivité. Les deux sont canalisées au profit du travail et de la lutte pour le prestige. Mais cette activité est irrépressible, d'où, par exemple, l'incapacité à s'arrêter et prendre des vacances.

— La peur de l'échec. Beaucoup ont le sentiment que le but n'est jamais atteint, qu'il faut toujours aller de l'avant. Ils ont toujours un point vers où se diriger, mais aucun point précis où s'arrêter.

— L'orientation vers le réel, le pratique, l'immédiat. Cela peut faire perdre une certaine ampleur de vue, ou si le réel résiste, amener à une certaine agressivité.

— Une relation d'identification avec ses supérieurs hiérarchiques car ceux-ci symbolisent la réussite qu'ils désirent.

— Une attitude envers les parents, caractérisée par le fait qu'ils ont su se libérer de leurs parents, et qu'ils ne leur ont pas gardé rancune.

Dans la seconde étude que nous citerons, l'auteur[3] analyse les qualités qui sont reconnues par les subordonnés à un chef. Ces chefs, en l'occurrence, étaient des commandants de bombardiers ; nous avons donc supprimé ce qui était spécifiquement militaire.

Voici ces qualités par ordre d'importance :
1. Maintien de la discipline sans excès.
2. Qualité et vitesse de décision.
3. Qualité de jugement.
4. Sens de la responsabilité.
5. Charme personnel.
6. Sincérité.
7. Courage.
8. Impartialité.
9. Compétence technique.
10. Facilité de contact avec les subordonnés.
11. Affabilité.
12. Adéquation de l'éloge et du blâme.
13. Connaissance des capacités de chacun.

---

3. M. ROFF, « Étude sur le commandement au combat », *Journal of Psychology*, 1950, 30.

14. Modestie.
15. Capacité à déléguer.
16. Conscience professionnelle.
17. Capacité à informer.
18. Enthousiasme.
19. Égalité d'humeur.
20. Aptitude à organiser le travail.

En fait, ces études sont assez vaines et pour deux raisons. La première est que si l'on compare les études faites, elles ont tendance à s'annuler, car à part quelques caractéristiques assez évidentes (intelligence, volonté), il est très difficile de tracer un portrait robot du chef ou du responsable. La diversité d'une part est considérable et d'autre part, il y a de nombreuses contradictions. La seconde raison est que ces études restent superficielles. Elles prennent pour argent comptant ce que ces responsables disent d'eux-mêmes et ce qu'en disent leurs subordonnés, mais en se référant à une psychologie simpliste, à peu de choses près, celle de l'américain moyen.

Quelques caractéristiques plus réalistes

Éliminons d'abord les individus qui occupent uniquement leur position hiérarchique par leur naissance, et occupons-nous de ceux qui occupent cette position parce qu'ils ont gravi un certain nombre d'échelons. S'ils ont gravi ces échelons, c'est d'abord qu'ils le désiraient, et ensuite qu'ils y ont réussi.

La première caractéristique d'un supérieur, c'est donc qu'il désire être supérieur, c'est-à-dire qu'il désire commander, c'est-à-dire qu'il désire plier les autres à ses propres désirs. Remarquons que ce n'est pas obligatoirement parce qu'il n'aime pas être commandé, car très souvent, des individus très autoritaires vis-à-vis de leurs subordonnés sont très obéissants vis-à-vis de leurs propres supérieurs[4].

La seconde caractéristique d'un supérieur, c'est sa grande confiance en soi. Cela ne veut pas obligatoirement dire qu'il n'est pas, par ailleurs, anxieux dans la vie quotidienne. Mais, il est très souvent persuadé d'avoir raison vis-à-vis d'autrui ; il

---

4. « Toutefois, la bataille que livre l'autoritaire est avant tout un défi. C'est une tentative de s'affirmer et de surmonter sa chétivité au mépris de tout. Mais, qu'il en soit conscient ou non, la nostalgie de la soumission reste tapie au fond de son âme et guette l'heure de s'épancher. » E. FROMM, *La peur de la liberté*, Paris, Buchet-Chastel, 1963, p. 135.

considère autrui comme plutôt inférieur à lui ; de façon géné-rale, il se considère un peu comme le centre du monde ; autre-ment dit, il est fortement narcissique.

Ce qu'il ne faut pas oublier c'est que ces personnalités nar-cissiques sont fascinantes. S. Freud remarque que c'est ce type de fascination qu'exercent les femmes et les grands préda-teurs : ils semblent se suffire à eux-mêmes et n'avoir pas besoin d'autrui. Ces personnalités ne fascinent pas seulement leurs supérieurs, mais elles fascinent aussi leurs subordonnés.

Un subordonné doit donc toujours se garder de cette fascina-tion ou du moins tenter de voir pourquoi il est fasciné. Le plus souvent, cette fascination tient au fait que le subordonné délè-gue en quelque sorte sa propre réussite à son supérieur, et s'identifie à cette réussite, comme si elle était sienne.

Une troisième caractéristique des supérieurs c'est qu'ils représentent quelque chose d'important pour l'affectivité du subordonné. C'est ainsi que les études faites sur les « meneurs » de bandes de jeunes à la frontière de la délinquance, sinon délinquants, montrent qu'une des aptitudes de certains indivi-dus à devenir « meneurs » découle du fait qu'ils ont une capa-cité inconsciente à assumer une position affective importante pour les membres du groupe. Le meneur c'est celui qui focalise les désirs, les interdits et les transgressions de ces interdits des membres du groupe. C'est pourquoi, assez souvent, ces « meneurs » sont des pervers, car ils transgressent les interdits moraux plus facilement que d'autres.

Évidemment, un supérieur n'est pas un « meneur », encore qu'il ne faille point sous-estimer une certaine possibilité de per-version et que certains aimeraient bien apparaître comme des meneurs d'hommes (au bon sens du terme, bien entendu).

Cependant, bien des supérieurs et bien des subordonnés entretiennent entre eux une relation affective, importante pour les deux. Ce qui est important, pour un subordonné c'est d'abord d'en prendre conscience, si tel est le cas. Cela évitera la fascination, permettra l'exercice d'un peu d'esprit critique, ce qui ne veut pas dire que cela diminuera l'importance de cette relation mais permettra de la gérer.

Cette relation affective peut être d'ordres très différents. Dans le premier, le supérieur apparaît comme possédant les qualités que le subordonné pense ne pas avoir ou ne pas avoir à un degré suffisant : intelligence, volonté, force de caractère, etc. Dans ce cas le supérieur fascine comme un être qui représente un idéal vers lequel on tend. Dans le second, il fascine parce qu'il se permet des comportements que le subordonné n'ose se permettre : agressivité, séduction, égoïsme, etc. Il viole alors les interdits dans lesquels le subordonné s'enferme, et il apparaît évidemment comme un être supérieur ou même d'une autre essence. Parfois aussi le supérieur fascine parce qu'il entraîne à faire ce que le subordonné seul n'oserait faire. Il facilite les transgressions, les passages à l'acte. Parfois aussi sa violence fascine et de façon ambivalente. Elle angoisse et ramène à des angoisses très infantiles, mais elle rassure en même temps car elle s'exerce aussi contre l'extérieur. Il peut enfin donner le sentiment à chacun d'être aimé en particulier, d'être préféré, ce qui réduit les sentiments de solitude ou d'abandon de chacun.

Ce qui est intéressant à noter dans toutes ces relations, c'est que le supérieur joue, plus ou moins consciemment, plus ou moins habilement, plus ou moins authentiquement, sur des sentiments qui existent déjà chez le subordonné. Si celui-ci se laisse fasciner, il doit s'en prendre en partie à lui-même, car comme le dit le fabuliste, si les souris se laissent prendre au piège, c'est qu'elles aiment le fromage. Certes la relation de pouvoir complique terriblement les choses. Mais une prise de conscience doit avoir lieu en se demandant : qu'est-ce qui existe chez moi qui permette qu'on me manipule et que puis-je faire à ce propos ?

Les moyens du pouvoir

Un supérieur hiérarchique est quelqu'un qui a du pouvoir, cela va de soi. Et comme toute personne qui a du pouvoir, il a un objectif important et qui, même, peut primer tous les autres : conserver ce pouvoir, et si possible, l'augmenter.

Pour atteindre cet objectif, certains moyens sont d'utilisation très courante, et se retrouvent indépendamment, ou presque, de la personnalité du supérieur hiérarchique. Ces moyens sont de trois ordres :

— ils peuvent être orientés vers la suppression de rivaux réels ou potentiels ;

— ils peuvent être orientés vers le maintien du caractère nécessaire de l'exercice du pouvoir par celui qui détient ce pouvoir ;

— ils peuvent être orientés vers la mise en scène de ce pouvoir destiné à impressionner ceux qui le subissent.

Il va de soi que ces moyens ne sont pas exclusifs les uns des autres.

Premier ordre de moyens : l'élimination des rivaux

Un des moyens les plus simples (même simpliste), mais efficace, consiste en un dénigrement systématique de tout individu qui, pour une raison ou pour une autre, pourrait, à terme, apparaître comme menaçant pour celui qui confisque le pouvoir. C'est fréquemment le cas de responsables qui ont sous leurs ordres immédiats plusieurs chefs de service qui pourraient, un jour, prétendre à leur succéder. Très peu d'individus, même s'ils sont eux-mêmes ambitieux et désirent un poste plus élevé, peuvent envisager qu'un de leurs subordonnés puisse leur succéder. Car le risque existe, évidemment, que la succession établie, eux-mêmes soient mis sur une voie de garage. Ils vont donc systématiquement et préventivement dénigrer ces subordonnés afin de les empêcher d'apparaître comme des rivaux. A la limite, ils vont organiser quelques pièges qui les enfermeront dans une éternelle condition de subordonnés qui ont atteint leur plafond.

Un autre moyen, qui est une application directe du principe « Diviser pour régner », consiste à dresser les uns contre les autres tous les individus qui pourraient prendre une place trop importante. Cette lutte peut être entretenue au niveau affectif (faire savoir à l'un tout le mal que l'autre pense de lui par exemple) ou organisée au niveau de la division du travail, de façon à ce que, par exemple, des zones de recouvrement de compétences introduisent des différends constants entre les individus en cause. Nous reviendrons sur ce point.

Un autre moyen, peut-être plus facile à utiliser dans le domaine politique que dans le domaine de l'entreprise, consiste à organiser régulièrement des « purges ». Dans une purge, on affuble tous ses adversaires d'une même étiquette infamante ; on fait de ce groupe un bouc émissaire, et on élimine d'un coup tous ceux qui vous sont opposés.

Deuxième ordre de moyens : l'organisation de sa nécessité

Pour se maintenir, le pouvoir doit apparaître comme nécessaire. L'alternative proposée est toujours, sous une forme ou une autre : moi ou le chaos.

Un des moyens les plus commodes d'apparaître comme nécessaire, est d'apparaître comme luttant contre une désorganisation qu'on génère au fur et à mesure, de façon à ce qu'elle soit indéfinie, et donc que la lutte contre elle soit également indéfinie.

On connaît, par exemple, de ces régimes politiques policiers, où des éléments « incontrôlés », mais en fait manipulés, font dégénérer toutes les manifestations, même anodines au départ, de façon à démontrer la nécessité d'une police toujours plus répressive. C'est un vieux « truc », mais comme beaucoup de vieux « trucs », il est assez efficace.

Un moyen très simple de générer cette désorganisation est de faire en sorte que les fonctions de chacun soient très peu définies. Le manque de définition fera apparaître des trous et des chevauchements : certaines fonctions ne seront pas remplies et en revanche deux individus travailleront sur la même chose. D'où le double avantage d'un service qui ne remplit pas toutes les tâches et d'individus qui entrent en lutte pour maintenir leur territoire.

Un autre moyen, consiste à organiser l'incompétence de chacun. On peut ainsi parcelliser les tâches de façon à ce que personne n'ait une vue globale du travail à effectuer et ne puisse donc jamais le dominer. On peut organiser à l'inverse, une rotation des postes, mais si rapide, que personne ne puisse approfondir sa maîtrise d'une compétence donnée.

Un autre moyen de générer la désorganisation est d'instituer un contrôle systématique et tatillon. Les apparences seront sauves. Car il est communément admis qu'un contrôle serré est un moyen d'organisation. En fait, il en va autrement. Contrôlé de près, personne ne prend plus d'initiatives. Chacun s'en réfère au règlement ou à son supérieur. On tombe alors dans le cercle vicieux que plus de contrôle appelle encore plus de contrôle et ainsi de suite. Toute l'énergie est alors utilisée à ces tâches de contrôle, et les tâches fondamentales ne sont plus remplies.

Un autre moyen de générer la désorganisation est de réorganiser systématiquement. Là aussi les apparences sont sauves car les réorganisations apparaissent comme des réponses adéquates à la désorganisation. Mais il est assez clair que les réorganisations nombreuses renforcent la désorganisation. Chacun freine cette réorganisation dont il ne sait si elle lui sera bénéfique. Dans l'attente de la réorganisation, chacun en fait le moins possible. Une fois la réorganisation faite, il faut du temps pour qu'elle soit efficace. Ceux qui ont été lésés se battent pour le retour en arrière ou pour une nouvelle réorganisation. Pour peu que les réorganisations soient assez rapprochées, la désorganisation s'installe de façon permanente.

Il va de soi que ces moyens sont rarement mis en œuvre de façon claire, consciente et organisée. Mais « tout se passe comme si » ils l'étaient et, de toute façon, dans ces domaines, ce sont les résultats qui comptent. Bien des individus ont un inconscient qui fonctionne admirablement. Il ne faut donc pas se fier à ce que disent les individus. Il ne faut même pas se fier à ce qu'ils pensent consciemment, car ils peuvent se leurrer eux-mêmes. Ce qui dévoile finalement leurs intentions profondes, ce sont leurs actes et les résultats auxquels ces actes aboutissent.

Troisième ordre de moyens : la mise en scène du pouvoir et de sa différence.

Le pouvoir tend toujours à apparaître comme exceptionnel, c'est-à-dire participant d'une autre essence que celle du commun des mortels.

Un des moyens classiques consiste à utiliser un apparat, une pompe dont le caractère majestueux indique avec éclat le caractère différent de ceux qui en sont revêtus ou qui en participent. Au niveau le plus simple, ce peut être un habillement différent de celui du commun des mortels, habillement archaïque le plus souvent, qui veut montrer le caractère immuable (et par là transcendant) de ceux qui en sont revêtus. Ou bien ce peut être l'isolement ou la possibilité de s'asseoir quand les autres restent debout, etc. Ces moyens simplistes sont cependant efficaces. Car ils tendent à renverser l'ordre de causalité réelle. Cette causalité est : le pouvoir utilise la pompe pour apparaître différent. Mais bien des individus raisonnent ainsi : le pouvoir est différent puisqu'il apparaît avec une telle pompe.

Un autre moyen classique est de montrer que le pouvoir n'obéit pas aux mêmes règles que les autres, et peut transgresser ces règles qui n'existent que pour les sujets. Dans beaucoup de sociétés traditionnelles, non seulement le chef n'obéit pas aux mêmes interdits que ses sujets, mais même, il lui est prescrit de les transgresser. C'est marquer nettement qu'il n'est pas de la même essence (il est sacré, c'est-à-dire qu'il participe plus ou moins de l'essence divine) que les hommes ordinaires. Dans nos sociétés, les choses sont peut-être moins nettes, mais le chef tente toujours d'apparaître comme celui qui ne se plie pas aux règles habituelles : il vit dans l'exception, ce qui veut dire trop souvent qu'il a tendance à vivre dans un univers de passe-droits.

Quatrième ordre de moyens : la sidération psychologique

Un autre moyen, presque toujours utilisé sous une forme ou sous une autre, est la sidération des subordonnés. Il va de soi qu'elle est inconsciente tant de la part de celui qui la subit que de celui qui l'utilise, et il est particulièrement important d'en prendre conscience pour tenter d'y échapper. Deux éléments sont toujours plus ou moins en présence : la violence d'une part et la séduction de l'autre. Dans tous les cas, la sidération remue au fond du subordonné des éléments troubles qu'à juste titre, il veut écarter de lui, refouler, ignorer. Après tout, si chacun n'est pas entièrement ce qu'il veut être, il peut tendre à être ce qu'il veut être et ignorer le reste. C'est ce que le supérieur ne supporte pas.

Le premier élément est, nous l'avons dit, celui de violence. Violence de l'organisation d'abord, qui agite plus ou moins clairement, plus ou moins ouvertement, toutes les sanctions dont elle dispose et surtout celle de la séparation définitive. Or chacun sait que la mise au chômage est, de nos jours, une sanction particulièrement sévère. Violence du supérieur, à un niveau moindre, qui lui aussi et parfois sur des détails peut rendre la vie de travail plus ou moins agréable, plus ou moins fatigante. Cette violence, évidemment, fait peur. Elle agite des fantasmes de diminution, de mutilation ; elle angoisse.

Le deuxième élément est de séduction mais de séduction perverse. Ce que l'organisation et le supérieur disent, d'une certaine façon, c'est : ressemblez-nous, faites ce que nous souhaitons, faites que ce que vous désirez soit conforme à ce que nous désirons. Mais surtout, ils disent : nous savons mieux que vous ce que vous désirez. Et ce que vous désirez c'est aussi ce que nous désirons. D'une autre façon, ils jouent aussi sur des désirs réprimés : l'argent, l'ambition, le pouvoir. Ce par quoi l'organisation et le supérieur séduisent, fait appel à des sentiments dont nous ne sommes pas forcément très fiers.

Les caractéristiques que nous venons d'énumérer apparaîtront comme passablement négatives, et on rétorquera, à juste titre, que la plupart des supérieurs, s'ils ont des défauts (et parfois bien agaçants) ont aussi (et fort heureusement) de nombreuses qualités. Cela va de soi, mais nous avons voulu insister sur certains aspects que l'on a trop tendance, officiellement, à passer sous silence (dans les couloirs, c'est autre chose).

Cependant ces qualités ne sont pas indifférentes à notre propos. Elles aussi doivent être reconnues et gérées. De la même façon qu'il serait puéril de trop se laisser impressionner par ces malades mentaux sanglants dont l'histoire nous trace le portrait dans tant de conquérants ou de chefs, de même il serait absurde de ne pas reconnaître qu'ils ne sont pas devenus historiques par accident. Vis-à-vis du supérieur, une trop grande admiration qui dissout tous les défauts, serait tout aussi vaine qu'une trop grande animosité occultant toutes ses qualités. Courage, sens de la discussion, intelligence, souplesse, etc., sont des éléments importants chez votre supérieur, et qui peuvent être vos alliés.

De plus, il serait assez vain de considérer certains traits comme positifs ou négatifs. L'ambition et une certaine dose de narcissisme ne sont en soi, ni bons ni mauvais. Cela dépend, en partie, des objectifs poursuivis, mais surtout de la façon dont cela influence la relation avec les subordonnés, qui, elle, peut être positive ou négative.

Ajoutons enfin que le plus souvent, chez un supérieur hiérarchique, caractéristiques au service de la fonction et caractéristiques au service du maintien et de l'augmentation du pouvoir sont très intimement mêlées et sont au service mutuel les unes des autres. Leur personnalité n'est pas un mélange, mais un alliage : c'est ce qui fait leur force et ce qui fait aussi que tant de subordonnés les subissent, de mauvais gré parfois, mais sans penser à alléger ce joug ou à le gérer.

2/ Qui est votre supérieur hiérarchique ?

« On croit toujours le loup plus grand qu'il n'est. »

(Proverbe français)

Votre perception de ses qualités et de ses défauts

Il est très probable que vous connaissez insuffisamment votre supérieur hiérarchique et ceci pour plusieurs raisons.

La première tient au fait qu'il a intérêt à dissimuler ce qu'il est réellement, ne serait-ce que pour dissimuler ses faiblesses et aussi parce que c'est une notion naïve mais répandue, que le secret est nécessaire au pouvoir, comme le disait le général De Gaulle.

La seconde est que probablement vous n'avez jamais cherché systématiquement à le connaître réellement, par manque de temps ou par manque de moyens d'investigation.

La troisième, et c'est la plus importante, c'est que vous avez certainement sur lui des idées préconçues. C'est d'ailleurs normal, car vos craintes et vos désirs ont brouillé la perception objective que vous auriez pu avoir de lui. Ils ont exagéré certains traits et en ont gommé d'autres. Cette perception objective a également été brouillée par le fait que, inconsciemment, vous lui prêtez les caractéristiques de tous les gens qui ont déjà eu du pouvoir sur vous. Enfin, cette perception a peut-être été altérée par des phénomènes de projection, c'est-à-dire par le fait que vous prêtez à votre supérieur, toujours inconsciemment, des idées et des sentiments qui sont, en fait, les vôtres. Par exemple, c'est un phénomène très courant chez tout le monde, votre agressivité vis-à-vis de lui, et la peur que vous en avez, ont pu se transformer en une peur de son agressivité dirigée vers vous.

Cependant, il va de soi qu'une gestion correcte de votre supérieur hiérarchique ne peut reposer que sur des éléments sûrs, c'est-à-dire sur la perception la plus correcte possible que vous puissiez avoir de lui.

Mais ici, nous nous trouvons devant une difficulté. Pour connaître quelqu'un objectivement, on peut utiliser un certain nombre de moyens. Mais vous n'êtes pas un psychologue de métier. Vous ne pouvez pas faire passer des tests à votre supérieur sans son accord, et ce dernier paraît exclu. Quant à certains moyens plus faciles, telle la graphologie, ils ne sont malheureusement pas des plus sûrs sur le plan scientifique.

Nous allons donc travailler sur votre perception de votre supérieur hiérarchique.

Nous ne saurons sans doute jamais ce qu'est réellement votre supérieur hiérarchique. Mais il est plus important de savoir comment vous, vous le percevez, et comment il vous affecte. C'est, en effet, cette perception qui détermine votre comportement. Nous allons donc tenter d'affiner cette perception.

Nous travaillerons à deux niveaux : votre perception consciente, puis votre perception inconsciente (que nous essaierons de rendre en partie consciente). Comme ce travail est un peu long et difficile, vous allez choisir le supérieur qui est le plus important pour vous, celui de qui dépend le maximum de vos satisfactions et/ou de vos ennuis.

Votre perception consciente

Nous vous conseillons de prendre un papier et un crayon, car il s'agit d'être plus systématique que d'habitude.

Vous allez commencer par dresser la liste des dix qualités les plus importantes de votre supérieur. Essayez d'aller jusqu'à dix, mais cela n'est pas absolument nécessaire. Essayez surtout d'être précis et d'éviter des mots trop généraux tels que, par exemple, intelligent. Il y a en effet, plusieurs sortes d'intelligence, logique, analytique, synthétique, de calcul, certaines étant soutenues par d'autres qualités telles que la mémoire ou la curiosité, certaines s'orientant plus vers certains domaines, le concret, l'abstrait. Il va de soi que par qualités nous entendons aussi bien, des qualités intellectuelles, qu'affectives, relationnelles.

Numérotez maintenant ces qualités par ordre d'importance pour vous.

Faites maintenant la même chose pour les défauts de votre supérieur. Donnez la liste de ses dix défauts les plus importants. Soyez également précis. Et numérotez ces défauts par ordre d'importance pour vous.

Vous allez maintenant comparer ces deux listes et rechercher si elles ne contiennent pas une ou plusieurs contradictions, c'est-à-dire qu'une liste ne contient pas un ou plusieurs termes inversés de termes de la seconde liste.

S'il y a une ou plusieurs contradictions, nous sommes en présence d'une indication intéressante, car votre perception n'est pas entièrement cohérente. Cela peut tenir à une raison simple, c'est que en dressant vos listes, vous avez peut-être pensé à des situations différentes et il est clair que suivant les circonstances, le même individu peut être ou patient ou coléreux. Mais cela peut tenir à une raison qui est plus importante pour nous, car dans ce cas, ce n'est pas dans la personnalité de votre supérieur qu'il y a contradiction, mais dans votre perception, et il faut nous interroger sur la raison de cette contradiction.

Celle-ci peut être la conséquence d'une certaine ambivalence, vis-à-vis de votre supérieur. L'ambivalence, c'est le fait que l'on éprouve des sentiments contradictoires vis-à-vis d'une même personne, selon les moments, et parfois au même moment. Par exemple, un mélange d'intérêt et d'aversion. Si vous pensez que vous pouvez éprouver cette ambivalence, il est important pour vous, d'une part d'en démêler les termes, et surtout de vous interroger sur les racines de cette ambivalence dans votre personnalité.

Prenons maintenant la liste des défauts de votre supérieur hiérarchique. Pour chacun de ces défauts, vous allez vous demander en quoi il vous affecte directement ou indirectement. C'est ainsi que sa timidité peut vous affecter indirectement si elle l'empêche de donner à son service le poids qui lui revient. Elle peut vous affecter directement si elle l'empêche de vous dire en face ce qu'il pense de vous et le fait employer des moyens détournés et désagréables.

Mais ces défauts peuvent vous affecter de trois façons :
— ils vous affectent négativement mais ne sont gênants que pour vous,
— ils vous affectent négativement mais sont également gênants pour lui,
— ils sont plus gênants pour votre supérieur lui-même que pour vous,
et il va de soi que l'on ne peut gérer ces trois variétés de la même façon.

Commençons par les défauts qui ne sont gênants que pour vous. Ils peuvent être effectivement des défauts sur lesquels vous n'avez aucune prise, surtout si l'organisation ne les considère pas comme des défauts. Si votre supérieur exerce constamment sur vous un contrôle étroit et tatillon, vous n'y pouvez pas grand-chose car il est probable que les supérieurs ou les collègues de votre propre supérieur ne voient pas cela comme un défaut. Il y a là une contrainte sur laquelle il y a peu de prise. Mais ce peuvent être aussi des défauts à propos desquels on peut se poser des questions.

Première question : n'y a-t-il pas un peu d'exagération de votre part ? Est-ce que vous ne faites pas une montagne d'un défaut duquel vous pourriez somme toute vous accommoder ?

Deuxième question : si ces défauts vous affectent si fortement, ne serait-ce pas parce qu'ils rencontrent une faille en vous ? Par exemple, les colères de votre supérieur ne vous affectent-elles pas parce que vous êtes trop timide et que vous n'osez réagir visiblement (même si cela vous met aussi dans une violente colère) ou au contraire que vous ne contenez plus votre propre colère ? Autrement dit, le problème n'est-il pas autant chez vous que chez lui ? Si oui, c'est plutôt une bonne chose, car il est plus facile de se gérer soi-même que de gérer autrui.

Troisième question : n'est-il pas possible de retourner ces défauts contre votre supérieur, autrement dit de les rendre aussi négatifs pour lui que pour vous ? La première possibilité consiste à tenter de faire prendre conscience à l'environnement, c'est-à-dire au supérieur de votre propre supérieur, ou à ses collègues, du caractère négatif pour le travail de tous, de tel ou tel défaut de votre supérieur. La deuxième possibilité est de tenter de créer un front commun de tous ses subordonnés face à tel ou tel défaut de votre supérieur. Ce sont des domaines où il faut s'avancer avec tact et surtout il ne faut pas se tromper, car nous l'avons déjà dit, ce qui est un défaut pour vous peut ne pas être considéré comme tel par l'environnement.

Les défauts qui sont négatifs pour lui et pour vous. C'est le cas de tous les défauts qui sont un handicap pour vous, mais aussi pour lui. Si votre supérieur, par exemple, est incapable de prendre une décision, de faire un choix, et laisse les événements trancher à sa place, cela a évidemment des conséquences dommageables pour vous, dans la mesure où vous avez besoin que ces décisions soient prises pour que vous puissiez effectuer correctement votre travail. Mais cela en aura aussi pour lui un jour ou l'autre. Autrement dit, on se trouve ici devant des défauts gérables, car ils peuvent être utilisés.

Les défauts qui sont négatifs pour lui mais qui sont positifs pour vous, ce sont ceux que vous pouvez gérer le plus facilement. Imaginons que votre supérieur hiérarchique soit brouillon ; c'est un défaut pour lui, mais pour vous c'est un moyen de prendre du pouvoir, par exemple, en étant organisé pour lui, ce qui fait qu'il sera obligé de passer par vous.

Venons-en à la liste des qualités de votre supérieur. Elles vous affectent peut-être moins que ses défauts, en ce sens qu'elles vous apparaissent comme normales et comme allant de soi. Il est donc probable que vous y avez moins réfléchi.

Normalement, ces qualités devraient toutes vous affecter positivement. Mais cela est un peu trop simple, probablement, étant donnée la complexité du caractère humain. Il est donc préférable de refaire comme précédemment deux listes : celle des qualités qui vous affectent positivement, et celle des qualités vous affectant négativement. Réfléchissez bien : il serait étonnant que cette dernière liste ne contienne aucun élément.

Il faut maintenant vous interroger sur le pourquoi. Pourquoi donc certaines qualités de votre supérieur vous affectent-elles négativement ? Ce peut être qu'elles réduisent votre autonomie ou empiètent sur votre territoire ; ou qu'elles limitent vos possibilités de carrière. Ce peut être aussi pour des sentiments un peu moins nobles : agacement ou envie.

Certaines qualités de votre supérieur peuvent donc vous apparaître comme des défauts, alors que, bien sûr, elles apparaissent comme qualités aux yeux des autres. Ceci est important pour votre gestion, car vous apparaissez ainsi en porte-à-faux, et vous ne pouvez gérer efficacement des éléments qui sont pour vous des défauts, mais pour les autres, des qualités. Il faut donc vous interroger pour savoir si votre perception est également celle d'autrui ou non. Si oui, pas de problème. Sinon, il serait souhaitable de modifier votre perception.

Votre perception inconsciente

Votre perception réelle de votre supérieur est fonction de deux facteurs : votre perception consciente que nous venons d'examiner mais aussi votre perception inconsciente. Cette dernière est la plus importante puisque par définition, elle modèle votre comportement sans même que vous vous en rendiez compte. Au sens strict, cette perception devrait rester inconsciente, mais nous allons essayer de vous aider à lever un coin du voile. Pour ce faire, nous allons utiliser quelques « trucs ».

Peut-être connaissez-vous un peu les techniques de créativité. Les animateurs de séminaire de créativité rencontrent un peu la même difficulté que nous : comment passer par-dessus les barrières, les résistances que nous offrons, lorsqu'il s'agit de dire réellement ce que nous pensons, lorsqu'il s'agit de laisser s'exprimer notre affectivité, notre créativité, etc. Ils ont pour ce faire, quelques techniques et nous allons les utiliser à notre façon.

De nouveau, vous allez prendre un papier et un crayon, vous relaxer quelques instants et répondre aux questions suivantes :

Si l'on vous demandait à quel animal vous fait penser votre supérieur hiérarchique, que répondriez-vous ? Écrivez votre réponse.

Si l'on vous demandait ce qu'est en train de faire cet animal qui symbolise votre supérieur, que serait-il en train de faire ? Écrivez votre réponse.

La technique suivante consiste à répéter l'opération précédente mais en symbolisant votre supérieur par un objet. Notez l'objet qui vous vient à l'esprit. Notez maintenant dans quelle situation se trouve cet objet. Notez ce qui vous vient à l'esprit, sans censure, même si cela vous paraît farfelu, incongru ou même stupide.

Nous avons maintenant quatre éléments : un animal, un objet et les actions ou situations dans lesquels ils sont engagés.

Pour chacun de ces quatre éléments vous allez vous demander ce qu'ils évoquent pour vous.

Imaginons, par exemple, que vous ayez répondu que votre supérieur hiérarchique vous fait penser à un ours. En fait, vis-à-vis d'un ours, on peut avoir des sentiments très différents. On peut le vivre comme un nounours, c'est-à-dire comme une sorte de poupée, ou comme quelque chose de fort, mais en fourrure, donc quelque chose de rassurant. On peut le vivre aussi comme un animal dangereux, capable de blesser ou de tuer.

Vous devez donc vous demander quels sentiments éveillent en vous l'animal et l'objet et les situations que vous avez imaginées. Vous pouvez vous aider de la liste ci-dessous :

— agréable/désagréable,   — sécurisant/dangereux,
— attraction/répulsion,   — frustrant/gratifiant,
— joie/tristesse,   — protecteur/destructeur,
— crainte/amour,   — tendre/indifférent,
— violence/calme,   — utile/nuisible,
— rassurant/angoissant,   — etc.

Vous allez ainsi pouvoir mieux comprendre dans quel contexte émotionnel et affectif vous vivez les caractéristiques de votre supérieur. Attention, ce contexte émotionnel n'est pas en soi positif ou négatif, bon ou mauvais, tout dépend de ses conséquences ; mais ces conséquences peuvent être positives ou négatives. Négatives, si cela vous enferme dans une position figée dont vous ne pouvez sortir. Positives, si cela vous amène à une stratégie consciente et active vis-à-vis de votre supérieur.

Passons à un autre exercice. Nous avons déjà quelques éléments de connaissance de votre perception profonde de votre supérieur et de ce que vous projetez sur lui. Nous allons maintenant tenter d'affiner cette perception, en créant de toute pièce une rêverie (un fantasme, diraient les psychologues). La

plupart d'entre nous sommes coutumiers de ces rêveries aux-
quelles nous nous laissons aller lorsque nous sommes inoccu-
pés, dans le métro, par exemple, ou avant de nous endormir.
Dans ces situations que nous imaginons, nous donnons libre
cours non seulement à notre imagination mais aussi à nos
désirs et craintes profonds. Si ces rêveries sont généralement
spontanées, rien n'interdit d'utiliser le même mécanisme de
façon plus volontaire, tout au moins quant au point de départ.

Commencez par vous relaxer et tenter de retrouver cet état
de rêverie, par exemple, celui qui précède le sommeil.

Vous allez maintenant partir d'une ébauche de scénario :
c'est une histoire où il y a deux personnages, et vous êtes l'un
d'entre eux, tandis que votre supérieur joue le second personnage. Imaginez seulement un point de départ : un accident, un
vol, un incendie, une affaire d'argent ou d'amour, ou quoi que
ce soit d'autre ; puis, laissez aller votre imagination, et
racontez-vous une histoire en rêvant... éveillé.

Lorsque votre imagination sera tarie, transcrivez votre histoire avec le maximum de détails. Nous disposons maintenant
d'éléments supplémentaires de connaissance de ce qu'au fond
de vous-même vous pensez de votre supérieur.

Essayons maintenant de tirer parti de ces éléments. Nous
allons pour cela utiliser une technique classique, que nous
allons un peu solliciter : celle des associations libres. Pour chacun des éléments que vous avez notés, vous allez noter ce qui
vous vient à l'esprit, en n'exerçant aucune censure, c'est-à-dire
en notant tout ce qui vous vient à l'esprit, même si, une fois de
plus, cela vous paraît incongru ou sans intérêt.

Votre rêverie vient donc de s'enrichir d'un ensemble d'éléments supplémentaires reliés aux premiers éléments. Pour en
tirer parti, vous pouvez retourner à la liste précédente indi-
quant un certain nombre de sentiments.

Vous pouvez rechercher les sentiments que cela vous inspire
pour l'histoire globale et pour chacun de ses éléments (personnages, éléments de scénario, etc.).

Mais surtout, centrez-vous sur la relation entre les deux personnages. Etait-ce une histoire entre un héros et un vilain, entre
un bourreau et une victime, entre gens du même bord ? Et quel
personnage jouiez-vous ? Il va de soi qu'on ne peut tirer
d'information définitive d'un simple exercice. Il va de soi également que ce n'est pas tout à fait au hasard que vous avez

choisi telle ou telle histoire, tel ou tel personnage, et surtout telle ou telle relation entre les personnages, et que ceci peut vous éclairer sur la relation que vous entretenez avec votre supérieur, les sentiments que vous lui portez, et donc vous éclairer sur vos comportements vis-à-vis de lui, comme sur les siens vis-à-vis de vous.

Ce qu'il s'agit de faire, c'est, au fond, de percevoir plus complètement que d'habitude comment vous voyez votre supérieur hiérarchique, selon l'idée que si votre perception est plus consciente, vos réactions seront également plus conscientes, et donc que vous augmenterez vos capacités de gestion.

Le classement de votre supérieur dans quelques typologies

> « Le léopard ne se déplace pas sans ses taches. »
>
> (Proverbe Nupe)

Une autre façon d'améliorer votre connaissance de votre supérieur hiérarchique, c'est d'utiliser un certain nombre de typologies, dans les catégories desquelles vous allez tenter de le classer.

Classer quelqu'un dans une catégorie est toujours un acte qui fausse un peu la réalité, mais c'est un acte commode qui permet un certain repérage de cette réalité. Un médecin a beau savoir que chaque malade est unique, qu'il n'y a que des malades et pas de maladies, il n'empêche qu'il n'est satisfait que lorsqu'il a posé un diagnostic dont une thérapeutique peut s'ensuivre.

Cependant, nous allons utiliser plusieurs typologies et ceci pour deux raisons. La première est qu'une seule typologie n'épuiserait pas les différents niveaux de la personnalité de votre supérieur que l'on peut appréhender. La deuxième est que même sur un thème donné, par exemple, la relation à l'autorité, on peut utiliser des typologies venues de différentes Écoles de sciences humaines, qui ne sont pas réductibles les unes aux autres.

Typologie par rapport à l'exercice de l'autorité

Nous commencerons par ce point, car la façon d'exercer son autorité est la caractéristique de votre supérieur qui probablement vous affecte le plus.

Classiquement et par rapport à d'innombrables études sur le sujet, beaucoup d'auteurs distinguent trois types de personnalités selon leur façon d'exercer l'autorité :

— la personnalité autoritaire,
— la personnalité démocratique,
— la personnalité « laissez-faire ».

Evidemment, des degrés sont à envisager entre chacun de ces types. C'est ainsi que d'autoritaire à démocratique, on peut envisager les degrés suivants :

Extrémité autocratique — Le supérieur prend seul ses décisions et les annonce sans qu'aucune discussion soit possible.

— Le supérieur prend sa décision puis la « vend » en s'efforçant de convaincre.

— Le supérieur présente un projet de décision sujet à révision.

— Le supérieur présente le problème à résoudre, puis fait des suggestions et élabore la discussion avec ceux qui sont concernés.

Extrémité démocratique — Le supérieur demande à ceux qui sont concernés de préparer la décision, qu'il discutera ensuite.

La dimension laisser-faire intervient également car elle peut n'être absente ni de l'autocratisme, ni de la démocratie. C'est ainsi qu'un mélange d'autocratisme et de laissez-faire approchera du paternalisme, et qu'un mélange de démocratie et de laissez-faire s'apparentera à la démission.

Typologie par rapport à la compétence

Cette compétence doit être appréciée par rapport à plusieurs axes. Un responsable a généralement besoin de trois types de compétence : *technique* : c'est lui qui en première instance ou en dernier ressort doit en savoir un peu plus que les autres ; *relationnelle* : c'est lui qui doit animer le groupe de ses subordonnés, les motiver, etc. ; et enfin : *managériale*, car c'est lui qui doit déterminer les objectifs et les moyens généraux pour les atteindre.

La *compétence technique* d'un supérieur est facile à apprécier. Il faut seulement noter qu'elle n'est pas absolument nécessaire à partir d'un certain niveau. Un directeur général n'a pas besoin d'être expert-comptable, ni concepteur de marketing-mix. Il faut noter également que si un supérieur sait parfaitement déléguer, il n'est pas non plus nécessaire que sa compétence technique dépasse celle de ses subordonnés. En fait, il faut se méfier de l'image traditionnelle du supérieur comme exemple qui en sait donc plus que les autres : la fonction de responsabilité est une fonction qui a d'autres dimensions qu'une excellente technique.

La *compétence relationnelle*. C'est la plus importante pour vous car elle vous concerne directement. Pour apprécier cette compétence, il faut se reporter aux différents domaines dans lesquels elle peut s'exercer : relations quotidiennes, entretiens, réunions, évaluations, promotions et gestion de carrière, recrutement et exclusion. Dans ces différents domaines, on peut distinguer deux dimensions : l'efficacité, c'est-à-dire l'atteinte d'un résultat, et la satisfaction des personnes concernées. Ces deux dimensions sont liées en ce sens que l'effficacité accroît la satisfaction, et que généralement (pas toujours !) la satisfaction augmente l'efficacité. Elles sont liées aussi en ce sens que les qualités ou défauts d'un supérieur (sur le long terme, car à court terme on peut négliger l'un des facteurs) agiront à la fois sur l'efficacité et sur la satisfaction.

Voici une liste de compétences relationnelles. Vous pourrez ainsi établir le score de votre supérieur (soyez strict, mais pas injuste) :

1. Sait écouter.
2. Sait comprendre et accepter d'autres points de vue.
3. Respecte les compétences.
4. Accepte la différence.
5. Sait donner des ordres clairs.
6. Sait apprécier un résultat.
7. Sait voir et faire voir le bon côté des choses.
8. Sait motiver.

9. Sait remercier et féliciter.
10. Est préoccupé du long terme.
11. Ne cherche pas à manipuler (par exemple plaider le faux pour savoir le vrai).
12. N'oppose pas ses collaborateurs les uns aux autres.
13. Saît défendre ses collaborateurs auprès de ses propres supérieurs ou collègues.
14. Est vivant, gai, entraînant.
15. Sait prendre part aux difficultés d'autrui.
16. Sait dire la vérité en face, mais sans brutalité.
17. Sait faire preuve de fermeté.
18. Ne se laisse pas piéger par les malins ou les paresseux.
19. Sait former les collaborateurs.
20. Sait se séparer de ses collaborateurs par promotion ou démotion.

La *compétence managériale* peut être sous-divisée en deux axes : des capacités personnelles et des capacités stratégiques.

Quant aux capacités personnelles on peut retenir :
— la capacité à tenir ses promesses,
— la capacité à affronter les conflits,
— la capacité à soutenir ses collaborateurs face à l'extérieur,
— la capacité à suivre une ligne définie,
— la capacité à déléguer.

Quant aux capacités stratégiques elles peuvent être :
— la capacité à prévoir,
— la capacité à définir des objectifs,
— la capacité à définir les moyens généraux,
— la capacité à effectuer et des analyses et des synthèses.

Typologie psycho-pathologique

Il va de soi qu'une telle typologie doit être utilisée avec précautions. Il y a tout de même une probabilité assez faible que votre supérieur soit un psychopathe. En revanche, il est possible qu'une dimension de sa personnalité puisse être rapprochée d'une typologie pathologique. Il y a donc peu de probabilité qu'il soit paranoïaque. Il n'est pas impossible qu'il ait une dimension paranoïde. On ne peut donc effectuer que des rapprochements et non des identifications.

L'obsessionnel

L'obsessionnel n'est pas un « obsédé » au sens courant du terme. C'est un ritualiste, c'est-à-dire quelqu'un qui combat son angoisse en accomplissant un certain nombre de rituels. Il va de soi que certaines professions attirent certains de ces individus, donc celles qui demandent beaucoup d'ordre, de rigueur, de procédures bien définies. C'est pourquoi on rencontre plus d'obsessionnels chez les comptables que chez les vendeurs.

Ce que l'obsessionnel déteste par-dessus tout, c'est l'imprévu, l'inattendu, la nouveauté, tout ce qui risque de déranger la mécanique mise en place. Face à l'inattendu, l'obsessionnel réagit par une bouffée d'angoisse. Pour réduire cette angoisse, il va tenter de réduire la nouveauté. Tout d'abord, il peut la nier fortement et simplement, c'est-à-dire littéralement ne pas la voir. Et il pourra réagir violemment si on attire son attention sur l'inattendu. Il peut aussi tenter de la réduire à quelque chose de connu, en oubliant tout ce qui différencie cet événement d'événements déjà catalogués.

Deux caractéristiques fondamentales donc : un côté tatillon, et de vives réactions à tout ce qui dérange sa mécanique en avivant son anxiété.

L'hystérique

C'est quelqu'un dont les difficultés psychologiques s'inscrivent dans le corps. C'est donc souvent quelqu'un qui somatise, pour reprendre une expression courante, c'est-à-dire quelqu'un qui est malade, par exemple, le jour où il aura un conflit à affronter, une décision à prendre.

Etymologiquement, hystérie vient d'un mot qui a également donné utérus, car l'hystérie était autrefois considérée comme spécifiquement féminine. Ce qui fait que les hystériques ont souvent psychologiquement quelque chose de « l'éternel féminin » : une certaine labilité émotionnelle, c'est-à-dire la capacité de passer rapidement d'un sentiment à un autre ; une certaine dissimulation qui peut aller jusqu'au plaisir à meurtrir ; un certain manque de logique, ou plus précisément une logique plus affective qu'intellectuelle (du type : elle est jolie puisque je l'aime). Il va de soi, que contrairement à ce qu'on pense communément, cela est aussi fréquent chez les hommes que chez les femmes, même si cela est moins apparent.

Le paranoïaque

Il est rare de le rencontrer à un niveau important de responsabilité. Mais on y rencontre parfois des personnalités paranoïdes. Dans ces cas, les individus se sentent persécutés par des « ils » qui leur en veulent. Ces « ils » s'incarnent souvent dans des personnes de l'entourage ou gardent une forme abstraite : les syndicats, les patrons, les juifs, les francs-maçons font ainsi souvent des « ils » persécuteurs très commodes.

Ces personnalités sont en fait, le plus souvent, des individus à l'agressivité très forte mais très refoulée. Comme ils ne peuvent exprimer cette agressivité et que celle-ci les encombre fortement, ils la projettent sur autrui et ils finissent par croire que ce sont les autres qui sont agressifs. Ce sont des personnalités très difficiles à gérer, car les choses les plus innocentes peuvent à leurs yeux passer pour des manifestations d'agressivité. L'idéal serait de les fuir.

Le maniaco-dépressif

C'est un individu caractérisé par le fait qu'il passe successivement d'états d'excitation (phase maniaque) à des états d'abattement (phase dépressive). Ces phases peuvent être de durée plus ou moins longue ; c'est donc un individu imprévisible, un jour plein d'entrain, de projets, d'idées, brillant, enjoué, etc., puis quelque temps après, fatigué, dépressif, n'ayant goût à rien. Ce sont également des personnalités difficiles. En phase d'excitation, on ne peut suivre leur rythme qui est forcené. En phase dépressive, non seulement plus rien n'a d'intérêt pour eux, mais il dénigre tout ce que font les autres. Il est donc toujours utile de demander à leur secrétaire comment ils sont « lunés », avant de les aborder.

Typologie globalisante

Le petit jeune

Il est jeune, il sort de l'école. Sa technique est parfaite et va lui permettre de tout régler. L'univers commence avec lui : le passé, il l'ignore, et d'ailleurs le méprise. Pour la première fois depuis la nuit des temps, quelqu'un sait enfin ce qu'il faut faire : c'est lui. Il néglige les obstacles, étant parfaitement insensible aux sentiments, les siens bien sûr, car il croit ne pas en avoir et surtout ceux des autres, qui lui apparaissent superflus, mal fondés et négatifs.

Dans cinq ans, la dure réalité lui aura appris que les choses ne bougent ni si vite, ni si facilement. Mais d'ici là, il va être difficile à gérer, car il est trop centré sur lui-même pour apprendre rapidement et des hommes et de la réalité.

L'individu en fin de carrière

A l'inverse du précédent, sa longue expérience lui a montré l'inanité de la volonté de changement. D'une certaine façon plus rien ne l'étonne et chaque événement ressemble pour lui à d'autres événements. Plus rien ne l'enthousiasme non plus et il sait rabattre les enthousiasmes des plus jeunes. Mais d'une autre façon, tout l'étonne et surtout le comportement des plus jeunes. Il est techniquement dépassé et il le sait. Ou il s'en arrange et sait gérer efficacement la technicité des autres, ou il n'en prend pas son parti et bloque désespérément toutes les initiatives qui feraient apparaître son incompétence.

L'organisateur de la catastrophe et donc de la victoire

Lui seul sait vaincre et pour le démontrer plus aisément, il organise d'abord des situations quasi catastrophiques, dont seul, il pourra tirer son équipe. Dans un premier temps, il laisse faire, car il est très pris par ailleurs dans des plans grandioses qui ne lui laissent pas un moment. Puis il s'occupe un peu de ce qui se passe, mais seulement pour distribuer quelques avertissements, sans dire ce qu'il faudrait faire, car à cette phase, il délègue largement. Puis un beau jour, il décide que la catastrophe est imminente. Il arrête tout, reprend tout en main, car l'heure est trop grave pour déléguer. Enfin, quand le danger est passé (!), il délègue de nouveau et s'engage dans un nouveau cycle.

Le bureaucrate

Seul le règlement l'intéresse et l'observation de ce dernier. Il n'aime pas les initiatives, ni pour lui, ni surtout venant des autres. C'est l'homme de la copie conforme, et il surveille particulièrement les détails. Il a l'avantage de ses inconvénients car sa rigidité l'enferme lui-même dans l'observation minutieuse des procédures. Il ne peut donc se livrer à l'arbitraire, et est assez parfaitement prévisible.

L'homme brillant

Diplômes connus, carrière rapide, il est promis à un bel avenir, le sait, le fait savoir, et utilise cette attente d'autrui. Il est relativement facile à vivre, car il déteste les détails et préfère les larges synthèses où ses qualités sont plus visibles. A condition d'adhérer à ses objectifs, ce qui est relativement facile car ceux-ci sont généraux et à long terme, il délègue largement et fait confiance. Mais il faut l'admirer (et le lui faire savoir).

L'homme d'action

Il est souvent peu diplômé, et d'ailleurs méprise allègrement les diplômes et les intellectuels. Il se veut essentiellement pragmatique, sans voir que son action est dirigée par des principes, comme les actions de tout le monde. Il utilise un argument fort connu qui est de taxer d'intellectualisme toute idée qui lui déplaît ou qui lui est contraire. Par ailleurs, c'est plus l'action elle-même qui l'intéresse que ses résultats.

L'homme de guerre

Son langage est militaire. Toute action est une opération, toute opération une bataille, et toute bataille une guerre. Il veut gagner, il veut vaincre, peu importe à quel prix, et même si le résultat est fort mince. Il ne décide pas en fonction du résultat espéré, mais de la confrontation à engager. Quelque peu suicidaire, il est capable de se ruiner si cela peut entraîner la ruine de son adversaire.

Le roi

Imbu du caractère sacré de ce qu'il entreprend, il le justifie par les considérations les plus vastes, les plus générales et les plus incontestables. Il ne supporte donc aucune contestation qui prendrait un caractère de lèse-majesté. Solitaire, il ne s'entoure que de courtisans, car il ne tolère que les miroirs qui lui renvoient l'image de sa gloire.

3/ La connaissance de l'environnement

Votre supérieur et vous-même vivez dans une organisation, c'est-à-dire dans un environnement bien particulier. Et cette organisation est régie par des règles et des lois dont nous distinguerons trois sortes.

— L'entreprise est d'abord régie par les lois qu'elle s'est données officiellement : règlements, procédures, etc. Très souvent ces lois sont écrites, connues de tous, et varient peu. Souvent elles s'inscrivent dans un contexte plus large : dispositions légales nationales, et peuvent être modulées en fonction de certains rapports de force — syndical, par exemple — qui font que l'on a « oublié » certaines dispositions.

— Mais, l'entreprise est aussi régie par des lois non officielles, non écrites, et souvent même, inconscientes. Nous sommes ici dans l'ordre du ce qui se fait/ce qui ne se fait pas. Ces règles sont généralement très stables, même si apparemment elles semblent se modifier en fonction de modes ou de rapports de force passagers.

— Enfin, l'entreprise comme organisation est régie par des lois d'ordre sociologique, des lois de fonctionnement général des organisations, souvent valables pour des organisations apparemment très différentes. Par exemple, un fonctionnement bureaucratique (où le règlement prime tout) peut se retrouver aussi bien dans une administration, une entreprise privée ou une école.

Ces différentes règles de fonctionnement n'ont pas toutes la même importance. Parfois elles s'annulent, les règles non écrites empêchant l'application des règles écrites. Ou, au contraire, elles se renforcent. De plus, comme ce qui nous intéresse, ce ne sont pas les règles elles-mêmes, mais l'influence qu'elles ont sur votre gestion de votre supérieur hiérarchique, elles doivent être interprétées pour découvrir leur influence réelle.

Organisation formelle et organisation informelle

Un des points les plus importants pour comprendre la dynamique d'une organisation telle qu'une entreprise est la distinction que nous venons de faire entre les lois écrites et les lois non écrites. On appelle organisation formelle tout ce qui est officiel, écrit, formalisé, par exemple, l'organigramme de l'entreprise, le réseau de communication officiel, la répartition des tâches de chacun. Mais cet ensemble formel est généralement doublé d'un système informel, qui n'est ni officiel, ni écrit, mais qui n'en existe pas moins, et que la plupart des individus utilisent plus ou moins consciemment. L'organigramme est ainsi doublé d'un organigramme informel qui donne les pouvoirs et l'autorité réels de chacun, indépendamment de ce qui est officiel. Le réseau de communications officiel est doublé d'un réseau officieux qui donne un système à la mesure des besoins réels de chacun, mais aussi de ses affinités et de ses inimitiés.

Les systèmes informels ont une double fonction. Une fonction « positive »[1], qui est de faciliter certaines relations qui ont été oubliées par le système officiel. L'informel bouche les trous du formel et permet des réponses plus rapides. Et aussi une fonction « négative »[1] qui est de contrer le système officiel en mettant en place des contre-systèmes.

De plus, l'informel est généralement en avance sur le formel ; il préfigure souvent ce qui sera ensuite officiel. Il prend acte de la réalité quotidienne vécue. Ici, comme ailleurs, la pratique devance la loi.

---

1. Du point de vue de la Direction.

Les systèmes informels sont souvent discrets, sinon secrets. Ne les connaissent que ceux qui y participent (et ceux-ci ne les divulguent qu'à bon escient) ce qui veut dire en général que les supérieurs ignorent les réseaux informels de leurs subordonnés.

La connaissance de ces réseaux est cependant fondamentale pour la compréhension de ce qui se passe dans les entreprises et les organisations. Nous en étudierons deux où le décalage formel/informel est particulièrement important.

La hiérarchie

Habituellement, la hiérarchie comporte deux sortes d'individus : les hiérarchiques, qui commandent, et les fonctionnels, qui conseillent ou contrôlent. On a donc un système de ce genre :

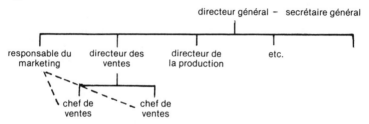

Le secrétaire général et le responsable du marketing sont donc fonctionnels. En principe, ce dernier ne commande pas les chefs de vente. Dans les faits, ce peut être différent. Pour peu que le responsable de marketing ait plus de personnalité, d'expérience, d'autorité, il peut très bien avoir plus d'ascendant que le directeur des ventes. Ici, la structure informelle ne fait qu'accentuer une tendance de la structure formelle. Remarquons par ailleurs, que ces deux types de personnes n'ont pas la même relation à l'autorité suprême. Comme le dit A. Jay : « Les termes usuels en anglais sont *"line and staff"* qu'on peut essayer de rendre par hiérarchie et état-major, mais *"barons et courtisans"* décrivent mieux la nature de ces deux types de responsables et leurs relations avec le roi, le chef de l'exécutif[1]. »

Le baron, c'est le chef sur le terrain. Le courtisan, lui, travaille au siège, dans les états-majors. A première vue, les barons possèdent plus de pouvoir, mais c'est du pouvoir qui ne peut s'exercer que sur leurs subordonnés. Les courtisans ont

---

2. A. JAY, *Machiavel et les princes*, R. Laffont, 1968, p. 185.

moins de pouvoir direct, ils n'ont que de l'influence, mais une influence surtout orientée vers les plus hauts responsables qui sont donc, aussi, les chefs des barons. C'est pourquoi, entretenir des bonnes relations avec un courtisan est particulièrement important. Cela peut offrir une stratégie de rechange, en cas de difficulté avec un supérieur hiérarchique qui est un baron : un courtisan aime avoir sa propre petite cour.

Les communications

On peut souligner un point à propos des communications : elles ne sont jamais satisfaisantes pour les individus concernés. Tout d'abord, il est vrai que l'information stratégique circule fort peu et beaucoup de journaux d'entreprise n'informent que sur l'accessoire. Mais même si l'information était authentique, complète, et circulait complètement, elle laisserait les individus insatisfaits. D'abord, parce qu'ils soupçonneraient toujours qu'elle n'est pas complète. Mais surtout, l'insatisfaction vis-à-vis de l'information, de sa circulation et des communications en général, fonctionne comme symptôme. Ce n'est pas tellement de l'information que les individus souhaitent, mais autre chose, qui peut être divers : participation aux décisions, sécurité vis-à-vis de l'avenir, etc. Il est donc toujours utile de s'interroger sur ce que recouvre l'insatisfaction vis-à-vis des communications, de quoi elle est le symptôme. Plus l'insatisfaction sera importante, plus les communications informelles le seront également. Elles auront, de plus, tendance à dégénérer en bruits de couloir, en rumeur, à la limite, en ragots.

De façon générale, les réseaux informels sont d'autant plus importants que le système formel, officiel, est rigide, bureaucratique, et plus orienté vers le contrôle *a priori* que vers l'efficacité. Si l'on constate que le système informel est très développé, cela signifie souvent que l'organisation privilégie donc le contrôle, ne fait pas confiance aux individus et est même quelque peu soupçonneux vis-à-vis d'eux. Qu'on se réfère aux systèmes politiques bureaucratiques et l'on verra tout de suite qu'ils font naître la « débrouillardise », le « système D » sous toutes leurs formes et même les moins heureuses.

Il faut remarquer également que chacun à son niveau, refuse le système informel de ses subordonnés, car ils tendent ainsi à échapper à son contrôle, mais utilise à plein les mêmes systèmes vis-à-vis de ses propres supérieurs. Pour les mêmes raisons de contrôle, le supérieur cachera à ses subordonnés ses propres réseaux informels.

La connaissance du maximum de réseaux informels est donc importante, puisque ces réseaux doublent les réseaux formels. Ils permettent donc de les « doubler », de les court-circuiter et donc de disposer de stratégies de rechange.

Les décisions

Ce sont les temps forts de l'organisation et elles nous concernent au premier chef, car elles peuvent nous affecter directement. Classiquement, on considère encore que le chef décide seul et qu'il ne peut en être qu'ainsi, puisque seul, il a la responsabilité des conséquences de la décision prise ; cette position classique est passablement fausse. Peu de chefs supportent directement les conséquences de leurs décisions, et (mettons-nous à leur place) ils ont bien raison. En fait, ce sont les subordonnés qui pâtissent le plus d'une mauvaise décision, et particulièrement « le lampiste » dont il est si facile de faire un bouc émissaire.

Il en est de même quant à la prise de décision elle-même. Face à une décision importante à prendre, un responsable aura tendance à « ouvrir le parapluie », à mouiller ses propres supérieurs, et à minimiser la décision. Surtout, et c'est ce qui nous concerne, si une décision doit ensuite être appliquée, et évidemment appliquée par les subordonnés.

Il y a donc deux sortes de décisions vous concernant : les petites décisions quotidiennes où votre supérieur aura tendance à jouer au petit chef pour affirmer son autorité. Dans ce cas, tout dépend de vos relations avec lui : si elles sont bonnes, vous pouvez limiter les désagréments ; si elles sont mauvaises, il faudra subir, mais nous y reviendrons, car là, c'est un problème de gestion de votre supérieur. Et il y a les décisions stratégiques qui affectent tout un service, et que votre supérieur ne prendra pas seul. Et c'est là qu'une connaissance sociologique de l'entreprise est utile.

En effet, une décision stratégique est toujours un compromis entre plusieurs possibles soutenus par différents partis eux-mêmes dans un certain rapport de forces. C'est donc ce rapport de forces qu'il faut analyser le plus objectivement possible, ce qui n'est pas facile, car nous avons tendance à surestimer, soit ce qui nous avantage, soit ce qui nous désavantage.

Cette estimation permettra, soit de prévoir la décision, soit de tenter de peser sur son issue, soit de se joindre à temps au camp vainqueur, c'est-à-dire avant la victoire.

Elle permettra aussi, une fois la décision prise, de savoir quel risque on prendrait à ne l'appliquer que modérément, ou quelle est la probabilité qu'elle soit rapidement rapportée.

Une fois la décision prise, reste à l'appliquer. Plusieurs raisons militent dans ce sens. D'abord des raisons morales : vous devez une certaine loyauté à votre entreprise. Ensuite, pour des raisons de prudence : le sabotage est particulièrement mal vu. Enfin, pour une raison fort simple : il est parfaitement inutile d'essayer d'arrêter un train qui vient d'être mis en marche, d'abord parce que c'est dangereux, et ensuite parce qu'il s'arrêtera tout seul un peu plus loin, les inerties diverses s'en chargeant toutes seules.

Il faut enfin remarquer que, sauf exception, c'est-à-dire le cas de décisions vous touchant négativement très directement, la plupart des décisions qui veulent toujours apparaître comme l'aube d'ères nouvelles, sont, en fait, neutres : elles comportent autant d'avantages que de désavantages. Ce qui est difficile, c'est de passer par-dessus le moment d'agacement que cause une décision prise alors qu'on y était opposé, ou simplement un changement d'habitudes. Si l'on sait dépasser cette humeur, la somme des avantages et des désavantages apparaîtra égale à l'état précédent ou aux états qui auraient été la conséquence d'autres décisions.

Si cependant, vous décidiez de ne pas appliquer la décision prise, il faudra être quelque peu prudent. Quant aux moyens de ne pas appliquer une décision, tout le monde les connaît !

Le pouvoir

> « Les soldats ont plus à craindre du général que de l'ennemi. »
>
> (Proverbe romain)

Le pouvoir sous ses formes pures

Les problèmes posés par l'exercice du pouvoir sont souvent

atténués dans les organisations et les entreprises par les notions de rendement, d'efficacité, de profit, qui limitent en quelque sorte un exercice du pouvoir aussi pur que dans d'autres systèmes. Les mêmes notions servent aussi souvent de masques et non plus de limites. Il est donc bon de retrouver le pouvoir pur, qui est toujours réel, sous ces masques et malgré ces limitations.

Nous utiliserons largement comme cadre théorique le travail de J. Beackler, une des rares études qui ait été au cœur du problème[3]. Cet auteur distingue trois sortes fondamentales de pouvoir : la puissance, l'autorité et la direction. Il examine ensuite quels sont les moyens utilisés par ces différentes sortes de pouvoir pour s'établir et se maintenir, et quelles sont les réactions possibles face à eux.

La puissance peut être définie comme l'exercice de la force imposée à des individus qui, collectivement, devraient être les plus forts, mais qui sont atomisés, et comme tels, incapables de résister individuellement. Cette atomisation, cette interdiction de toute organisation, est le moyen fondamental utilisé par la puissance. On peut donc penser qu'on est en face de la puissance chaque fois qu'un pouvoir interdit toute organisation en face de lui, et ne veut avoir à faire qu'à des individus pris isolément.

La force qu'utilise la puissance peut être physique : des chars et des fusils... et qui tirent. Elle peut rester physique mais à un degré moindre : démonstration de force, montrer sa force pour n'avoir pas à s'en servir. Le plus souvent, cet aspect physique, s'il existe, est plus ou moins remplacé par des aspects moraux, symboliques... Mais dans tous les cas, ce qui est visé, c'est bien de faire souffrir physiquement ou moralement. Une fois la puissance installée, elle peut se contenter de stabilité : la menace, le chantage, la corruption, etc.

En face d'elle, la force engendre la peur. Sous l'emprise de la force, les individus obéissent. Chez la plupart des individus, cette obéissance devient une habitude. Chez certains, cette habitude est intériorisée et devient l'expression d'un devoir ; chez quelques-uns, elle procure même un certain plaisir d'être dominé. Les rares individus qui refusent d'obéir n'ont le choix qu'entre la fuite et la révolte. Cette révolte peut être larvée, passive, individuelle, comme dans le « freinage » (on en fait le

3. J. Baeckler, *Le pouvoir pur*, Paris, Calmann-Lévy, 1978.

moins possible) ou le sabotage. Elle peut être active et collective et aller jusqu'à l'insurrection armée. Ceux qui désobéissent sont punis par l'exclusion. Elle peut être morale : marginalisation par différents moyens dont le chômage ; civique : privation de différents droits ; physique, telle la prison. Cela peut aller jusqu'à la mise à mort. Avant cette mort, la puissance aime obtenir des aveux et des repentirs, bien sûr spontanés.

L'autorité, elle, utilise le prestige qui naît du fait que les hommes reconnaissent des valeurs (beauté, richesse, connaissances, intelligence, créativité, ou même succès auprès de l'autre sexe, etc.) et que lorsqu'un individu réalise pleinement une ou plusieurs de ces valeurs, les autres individus cessent d'être envieux, deviennent admiratifs et tendent à s'identifier à lui.

L'individu qui atteint ce degré de prestige cesse, aux yeux des autres d'être un homme comme les autres. Il devient un être mythique auquel on prête la possession de toutes les valeurs, même de celles qui lui sont le plus étrangères. Quand le prestige devient tel, on ne parle plus de prestige, mais de charisme. Ce charisme est alors entretenu par différents moyens : éloignement du peuple, cour de courtisans, décisions solitaires, style et niveau de vie se différenciant le plus possible de ceux du commun.

En face d'elle, l'autorité suscite l'assentiment. Cet assentiment peut aller du respect que l'on a pour un être qui incarne exceptionnellement telle ou telle valeur, au fanatisme le plus pur. Il y a alors identification plus ou moins complète au personnage charismatique, ce qui peut se traduire par les phénomènes les plus ridicules ou les plus dangereux.

L'assentiment que rencontre l'autorité peut être rompu de différentes façons : la prise d'indépendance (le disciple quitte le maître), ou le report d'admiration sur une autre figure (de Staline à Mao, par exemple). Parfois aussi, pour des raisons obscures, le charisme n'agit plus (De Gaulle en 1969).

Si elle est désobéie, l'autorité punit elle aussi par l'exclusion, mais à des degrés moindres. Plus précisément, l'individu qui refuse le charisme du leader, s'exclut de lui-même et se sent exclu puisqu'il est étranger au sentiment dominant de ses concitoyens. Le dommage est donc surtout moral et affectif, mais il peut être très important, puisqu'il peut aller jusqu'au fait que l'individu soit exclu de sa propre famille : conjoint qui divorce.

La direction, elle, est la forme, qu'en principe, on devrait uniquement rencontrer dans les organisations. Elle repose sur un système rationnel : la division technique du travail. Dans ce cas, l'exercice du pouvoir n'est qu'une partie parmi d'autres de cette division du travail. Le pouvoir est considéré comme délégué par tous à un ou plusieurs individus, que leurs compétences, techniques, humaines ou morales prédisposent à cet exercice. Cette délégation est limitée à certaines tâches ; elle est également limitée dans le temps. Surtout, elle est éminemment réversible, car elle repose sur un contrat qui peut être rompu lorsqu'il est arrivé à son terme.

Face à la direction, il y a consentement, mais consentement rationnel et limité ; on fait confiance à un individu pour certaines tâches, sans lui faire aveuglément confiance. On le surveille donc. Surtout, on n'élargit pas cette confiance à tout et n'importe quoi.

S'il y a désobéissance, la direction punit par l'exclusion, mais limitée à la tâche concernée. Il n'y a ni pression physique, ni pression morale, mais le constat réciproque qu'il n'y a pas de collaboration possible.

Nous l'avons dit, c'est la direction qui paraît devoir être la forme normale de l'exercice du pouvoir dans une organisation. C'est d'ailleurs, en général, la forme avouée ; cependant, bien des individus ne renoncent jamais à être investis d'un certain charisme. D'autres sont toujours tentés par l'exercice de la force. Suivant les cas, une organisation pourra donc être plus ou moins proche de tel ou tel type, ou la combiner de telle ou telle façon. Et il est particulièrement intéressant de savoir comment s'exerce réellement le pouvoir, dans l'organisation dans laquelle on est, sans se laisser leurrer par des apparences.

Le pouvoir comme contrôle d'une zone d'incertitude

Chez les spécialistes, l'analyse du pouvoir oscille entre deux pôles. Pour certains, le pouvoir est concentré dans quelques mains, et subi par les autres. Pour d'autres, le pouvoir est toujours concentré dans quelques mains, mais il n'est pas seulement subi ; il est aussi accepté par les autres en fonction de dispositions psychologiques particulières. Pour d'autres auteurs, enfin, le pouvoir n'est pas concentré dans quelques mains, mais réparti, inégalement bien sûr, entre un grand nombre d'individus. Ces différences tiennent en partie (au-delà de querelles d'écoles) à des choix idéologiques et aussi à des définitions particulières du pouvoir.

Nous ferons état, particulièrement, de la définition du pouvoir comme contrôle d'une zone d'incertitude. Pour ceux qui définissent ainsi le pouvoir, personne, dans une entreprise n'est totalement dénué de pouvoir, car l'ensemble des membres se situe constamment dans de multiples négociations où chacun est peu ou prou tributaire de l'autre. Ce qui est vrai dans de nombreux cas, tant que le rapport de forces n'est pas trop déséquilibré.

Dans ces conditions, le pouvoir d'un individu est d'autant plus important qu'il est seul à contrôler une portion du système, et qu'il peut introduire une incertitude dans cette zone. M. Crozier donne, par exemple, le cas des ouvriers d'entretien, par lesquels les autres ouvriers et la maîtrise doivent passer pour les réparations, et qui peuvent ainsi favoriser ceux qui les favorisent.

Le repérage de ces zones que l'on contrôle suffisamment pour y introduire de l'incertitude est donc très important car il peut être source d'un pouvoir très souvent sous-estimé. Il va de soi que l'entreprise se donne beaucoup de mal pour réduire ces zones : l'organisation elle-même, les procédures, le système de sanction essaient de les prévoir et de les limiter. Mais elle ne peut tout prévoir, et dans certains cas, elles est tributaire d'une logique dont elle ne peut maîtriser tous les effets.

Les zones d'incertitudes sont d'autant plus importantes que :

— l'on est plus en amont des opérations car, par définition, l'amont contrôle l'aval. C'est ainsi qu'en général la vente est tributaire de la production, elle-même tributaire de l'approvisionnement, etc. Dans une chaîne quelconque, on a donc toujours intérêt à être le plus en amont possible ;

— l'opération que l'on maîtrise est plus technique et qu'on est donc seul à la maîtriser. C'est ce qui a fait longtemps et fait encore la force des informaticiens. On a donc intérêt à occuper des postes non substituables et des fonctions très spécifiques ;

— l'on se situe à un passage obligé, à un nœud du système, et donc à un endroit où transitent le maximum d'informations, dont on peut prendre connaissance d'une part, et d'autre part modifier à son avantage ;

— l'on maîtrise un goulot d'étranglement, que l'on peut, bien sûr, contribuer à étrangler plus ou moins. Ce qui influe sur les cadences tenues dans les autres parties du système.

Il va de soi que la maîtrise (pour soi) d'une telle zone d'incertitude (pour autrui), ne peut être complète. Il s'agit plutôt d'augmenter la possibilité de négocier sa contribution à la bonne marche du système.

Le système de récompense et de punition

Ce n'est pas ce que les gens disent qui est important, mais ce qu'ils font. Il en est de même pour les organisations. C'est pourquoi l'analyse du système de récompenses et de punitions tel qu'il est appliqué, est particulièrement important, parce qu'il permet de dépasser les discours qui ne sont qu'idéologies, c'est-à-dire systèmes de justifications.

Le système est-il objectif ou subjectif ?

Il est rare que les différences soient parfaitement tranchées. Cependant, on peut distinguer un système objectif, fondé sur des critères connus de tous et appréciés à partir de faits, et un système subjectif fondé sur des critères inconnus et appréciés à partir de jugements (système plus connu sous le nom de « *à la tête du client* »).

Le système objectif est toujours fixé dans un certain nombre de procédures, du type négociation d'objectifs, entretiens d'évaluation, etc. Il a l'avantage d'être prévisible : on sait ce sur quoi on sera noté, et on peut orienter son activité en conséquence. Il a l'inconvénient d'être fini : une fois les règles fixées ou acceptées, on ne peut plus échapper aux conséquences de ses résultats.

Le système subjectif, lui, par définition, a la particularité de n'être codifié dans aucune procédure. Il ne laisse en fait, qu'une possibilité : plaire (ou du moins ne pas déplaire) à son supérieur. Ce système est extrêmement dangereux car il laisse la place à l'arbitraire. Mais beaucoup d'individus s'en accommodent, car chacun espère tirer son épingle du jeu. Cet espoir est le plus souvent illusoire, car on finit toujours par déplaire. De plus, cela donne toute possibilité de manipulation, dénonciation, chantage, de la part des égaux. On est alors dans un univers du soupçon.

Les conséquences du système sont-elles réelles ou symboliques ?

Récompenses et punitions seront réelles si elles se traduisent par des effets matériels : argent ou pouvoir, par exemple, pour les récompenses ; retenues pour les sanctions. Elles seront symboliques si elles se traduisent surtout par des signes : titres ronflants ou moquettes plus épaisses pour les promotions, par exemple.

La distinction n'est pas toujours simple : un titre ronflant peut impressionner autrui et devenir un avantage réel, et surtout, dans bien des cas, l'entreprise utilise concurremment les deux systèmes. Une promotion comprend le plus souvent une augmentation de salaire et une moquette plus épaisse. Cependant, il est utile de déterminer dans quel système se situe préférentiellement l'organisation. En effet, très souvent, l'organisation est sensible au fait qu'on lui donne quelque chose du même ordre que ce qu'elle donne elle-même. Une organisation qui récompense surtout symboliquement est souvent ritualiste et sensible à l'utilisation de rituels vis-à-vis d'elle : la forme compte alors autant que le fonds. De plus, si une entreprise utilise des récompenses symboliques c'est qu'elle tient à donner des récompenses liées à elle-même, et perdues si on la quitte (alors qu'une entreprise qui récompense financièrement sait que cet argent sera dépensé hors d'elle, et pourra même entrer en concurrence avec elle-même : vacances, par exemple). C'est pourquoi beaucoup d'entreprises de style traditionnel, avec un rien de paternalisme, récompensent surtout symboliquement.

Le système de valeurs

Le système de valeurs, c'est, au fond, le système moral. C'est l'ensemble des choses qui sont considérées comme bien ou mal, se faisant ou ne se faisant pas, à la mode ou pas. Ces choses peuvent être des idées, des comportements, du vocabulaire, des méthodes.

La première caractéristique du système de valeurs, c'est qu'il est rarement écrit, officialisé (s'il y a un système officiel, ce n'est pas obligatoirement le système réel). Il doit-être déduit des observations que l'on peut faire, car il participe de la culture de l'entreprise et comme tel, il est mis en pratique, mais sans qu'il y soit beaucoup réfléchi. Il participe de l'habitude plus que de la décision.

De quoi peut-on le déduire ? En fait, de l'ensemble des comportements qu'ont les individus sur un certain nombre de points-clés, et par exemple les critères de recrutement et le système de récompense-punition.

Quant au critère de recrutement, il est évident que pour un poste donné, on peut concevoir bien des profils adéquats de personnalité. Or la plupart des entreprises ne diversifient pas ces profils. Elles tendent à recruter selon un seul profil, celui qui est déjà dominant chez les membres actuels de l'entreprise. Cela est vrai, même si le recrutement se fait par concours, ou alors il faudrait qu'il soit entièrement écrit et anonyme car il y a toujours une épreuve d'oral qui permet une « *note de gueule* ».

Il en est de même pour ce système de récompense-punition que nous avons examiné précédemment. Il est clair que l'on récompense et que l'on punit tout autant, en fonction de la conformité aux valeurs dominantes, qu'en fonction de critères objectifs. Et c'est d'ailleurs normal, car cette conformité est tout aussi importante.

La seconde caractéristique du système de valeurs, c'est qu'il est souvent très décalé par rapport au discours officiel sur les valeurs dominantes. Ceci pour plusieurs raisons. Une de ces raisons est que le discours officiel est toujours un peu hypocrite. Il est obligé de se raccrocher en bonne partie au système de valeurs dominant à un moment donné dans le système social dans lequel il est inséré. Beaucoup d'entreprises déclarent prendre en compte le facteur humain avant le facteur technique ou le facteur financier. Dans la réalité, on sait ce qu'il en est. Tant que le facteur humain n'est pas un obstacle, tout va bien, sinon le choix est vite fait dans la plupart des cas.

Une autre raison de ce décalage est que le système de valeurs est souvent largement inconscient chez la plupart des individus. Ou en tout cas, peu d'individus réfléchissent aux conséquences concrètes de ce système, et certains seraient assez horrifiés des conséquences humaines de certaines valeurs qu'ils prônent (du type : concurrence, compétition, agressivité, etc.).

La troisième caractéristique du système de valeurs, c'est qu'il est surtout bon pour les autres, suivant le principe : « *Faites aux autres ce que vous ne voudriez pas qu'on vous fasse.* » Bien des responsables traitent leurs subordonnés d'une façon qu'ils vivraient eux-mêmes très mal. Ceci introduit un décalage supplémentaire entre ce qui est dit et ce qui est fait.

On voit que l'analyse sociologique de l'organisation dans laquelle on se trouve n'est donc pas très facile. D'une part, les théories sociologiques sont très globales et ne prennent guère en compte les individus eux-mêmes. D'autre part, lorsqu'on est baigné dans un environnement, il n'est pas facile de s'en abstraire suffisamment pour l'analyser. Enfin, l'individu isolé n'a pas autant de sources d'information qu'une équipe de sociologues.

Ce qu'il faut donc surtout retenir, c'est l'idée que cet environnement est important pour la stratégie que l'on désire utiliser vis-a-vis de son supérieur hiérarchique, car il est évident que l'on ne peut pas faire n'importe quoi dans n'importe quel environnement.

En l'occurrence, le point le plus important est peut-être le système de valeurs officiel qui prévaut dans l'organisation et son décalage avec le système réel. Si, en effet, le système officiel préconise l'ouverture, la collaboration, les relations franches et amicales, on sera obligé de jouer apparemment le jeu. Mais si, comme il arrive souvent, le système officiel recouvre un système réel de compétition, de petite guerre, etc., il faudra, en fait, jouer ce jeu-là. Or, les décalages sont très fréquents et obligent à jouer une sorte de double jeu, qui est d'autant mieux joué qu'il est joué consciemment.

deuxième partie

La mise en œuvre de la gestion du supérieur hiérarchique

« Le sage a deux langues, l'une pour le vrai, et l'autre pour l'opportun. »
(Proverbe arabe)

4/ La gestion de l'interaction avec le supérieur

« Tout mouton est pendu par ses propres pattes. »

(Proverbe arabe)

Gérer son supérieur est une forme paradoxale de la gestion, nous l'avons dit, car elle s'effectue dans une relation de pouvoir, au désavantage de celui qui gère, alors que dans les cas classiques, gestion et pouvoir vont de pair.

Cependant, ce type d'interaction n'est pas si rare, et l'on peut facilement en trouver des exemples dans d'autres domaines.

Dans le judo, par exemple, on sait que la chute du partenaire « A » peut entraîner la chute de « B », même et surtout si ce dernier est plus lourd et plus fort. « A » utilise sa faiblesse dans un domaine pour vaincre son adversaire dans un autre domaine. Il transforme sa faiblesse en déséquilibre, et ce déséquilibre, il l'utilise à son profit, parce que, par ailleurs, il utilise une technique qu'il domine mieux que l'autre.

Dans la tauromachie également, l'homme utilise à son profit la force et la vitesse de la bête. Celle-ci lancée, ne peut dévier sa trajectoire aussi aisément que l'homme, ce qui permet le jeu des banderilles. Par ailleurs, l'homme utilise une technique, le leurre de la muleta, ce chiffon qu'inlassablement le taureau attaque sans voir qu'il est ainsi manipulé. L'homme transforme ainsi la force de l'animal en faiblesse. Par ailleurs, il utilise son intelligence, qui fait défaut à l'animal trop confiant (bien que nous tombions ici dans l'anthropomorphisme) dans sa force pour se donner le temps de réfléchir.

Or, ce qui fait la force de votre supérieur (son pouvoir), fait aussi sa faiblesse, comme nous l'avons montré en présentant les caractéristiques communes à la plupart des supérieurs hiérarchiques et par exemple, son narcissisme fait sa force et l'aveugle en même temps.

Ceci étant, trois modalités fondamentales d'interaction peuvent être envisagées :

— l'isolement,
— la confrontation,
— la collaboration.

On peut en ajouter une quatrième, à mi-chemin de la compétition et de la collaboration :

— la négociation.

On peut enfin pousser certaines de ces modalités à l'extrême, ce qui donne les possibilités suivantes :

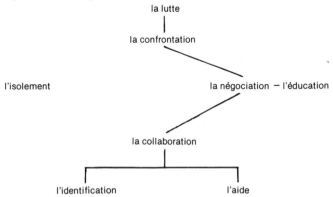

L'isolement

C'est la relation minimisée dans tous ses aspects. Il n'y a de rencontres que nécessaires. On reste dans son coin, en essayant de s'y barricader au mieux.

C'est une position d'autant plus tenable que l'entreprise dans laquelle vous travaillez ou que le poste que vous occupez a un caractère plus administratif. Auquel cas vous êtes défendu par la structure bureaucratique qui vous enserre, mais qui enserre aussi votre supérieur. De même, si le syndicalisme est puissant, vous pouvez être défendu efficacement bien que de façon abstraite.

A défaut de cette défense apportée par l'extérieur, la position d'isolement est une position difficile, car elle laisse l'initiative à l'autre et vous cantonne dans une position de défense après-coup. Elle ne doit donc être choisie que si votre supérieur est lui-même relativement passif et apprécie que chacun reste tranquillement à sa place. Elle peut cependant être utile dans tous les cas d'attente où il est plus important de ne pas faire d'erreur que de se faire remarquer : attente de promotion, de changement de poste, de la retraite, etc. Mais c'est une position qu'il est souvent difficile de tenir à long terme, car les risques d'élimination sont élevés. Elle est trop passive pour être une forme de gestion véritable.

La collaboration

Il va de soi que c'est l'attitude normale et que c'est l'attitude de base. Normale, parce que c'est elle qui est attendue, prônée. De base, parce que quelles que soient vos autres attitudes réelles, elles doivent toujours se concilier plus ou moins avec une attitude de collaboration. Il faut donc distinguer la collaboration réelle et la collaboration apparente.

La collaboration réelle

Elle ne consiste pas seulement à faire votre travail. Elle ne consiste pas non plus à faire beaucoup plus que votre travail. Elle consiste à faire votre travail dans l'optique qui est celle de votre supérieur. Cela suppose :

— que vous soyez d'accord avec ses objectifs,
— que vous sachiez suppléer ses faiblesses,
— que vous mettiez vos forces à son service.

L'accord sur les objectifs ne porte pas seulement sur les objectifs professionnels fixés par l''entreprise, mais aussi sur les objectifs personnels de votre supérieur. A un extrême, cela consiste à faire une équipe pour le meilleur et pour le pire. Pour le meilleur, par exemple, en vous préparant à prendre sa place lorsque lui-même sera promu. Pour le pire, en le suivant dans la disgrâce si celle-ci devait survenir.

De façon plus générale, il s'agit même de dépasser l'accord sur les objectifs pour obtenir un accord sur la façon de voir les choses en général, pour aboutir aux mêmes réactions.

Une véritable collaboration est donc un travail d'équipe, et comme dans toute équipe, il faut que si l'un des membres a une déficience, un autre membre soit capable d'y suppléer. Quelles que soient ses qualités, votre supérieur a cependant des limites et vous devez donc tenter d'y remédier.

La collaboration apparente

C'est la même que la collaboration réelle, mais vous n'êtes plus obligé d'y croire.

Plusieurs formes peuvent être envisagées :

— La collaboration n'est qu'un moyen pour arriver à des fins probablement différentes de celles de votre supérieur ou de celles que vous avouez vous-même. Rien n'est apparemment changé, le jeu reste le même, mais les finalités sont différentes.
— La collaboration est une nécessité, toute autre forme de relation étant, pour des raisons que vous avez appréciées, impossible à soutenir. Les formes ne diffèrent pas de celles d'une collaboration réelle, mais vous n'êtes pas tenu de croire à ce que vous faites.
— La collaboration n'est qu'une étape vous menant vers d'autres formes de relation.

L'aide ou le conseil

Elle n'est envisageable que si vous disposez, vis-à-vis de votre supérieur, d'un certain acquis et que celui-ci l'accepte. Cet acquis peut être de l'ordre de l'ancienneté et donc de l'expérience, ou d'une compétence particulière que ne maîtrise pas votre supérieur. Le point délicat est de faire accepter cette relation d'aide que votre supérieur peut très bien ressentir comme une menace à son autorité ou une offense à sa compétence. Une autre difficulté est que de cette aide, vous ne devez attendre qu'une reconnaissance limitée dans le temps, car beaucoup d'individus trouvent que la reconnaissance est une charge bien lourde.

Pour faire durer cette relation, il est donc nécessaire de garder une compétence particulière dans un domaine limité, dont vous serez l'expert. Cette expertise pourra être consultée par votre supérieur, mais il faudra la choisir dans un domaine qui lui apparaisse comme un complément et non comme une menace, et donc absolument pas comme une chasse gardée. Le mieux sera de la choisir dans les domaines qui ennuient votre supérieur, et dans lesquels il trouvera un soulagement à déléguer.

L'identification

Elle consiste à pousser la collaboration jusqu'à un point où il n'y a plus collaboration de deux autonomies, mais mise au service d'autrui. Cela peut se traduire par les comportements suivants, que nous empruntons à V. Packard[1].

• D'abord, soyez dévoué, mais au sens fort du terme, c'est-à-dire voué à votre supérieur. Autrement dit, ne pensez, ne sentez et n'agissez qu'en référence à lui.

• Ensuite, soyez loyal, c'est-à-dire :
— Informez votre supérieur de tout ce qui se passe ;
— Ne soyez pas en désaccord avec lui, et si vous l'êtes, ne le montrez pas ;
— Soyez satisfait de votre rôle, et montrez-le ;
— Soyez prévisible dans votre comportement ;
— Donnez de votre patron l'image qu'il souhaite donner de lui-même.

• Sachez vous adapter, autrement dit, adaptez-vous à votre supérieur ou mieux, modelez-vous sur lui. Fumez les mêmes cigarettes, ayez les mêmes intérêts et les mêmes désintérêts, pensez la même chose. Si vous innovez (ce qui n'est pas interdit) n'innovez que dans la bonne direction.

• Enfin, soyez déférent ; éteignez votre sens critique ; soyez approbateur ; prévenez ce qui va vous être demandé, etc.

La négociation

C'est une position qui emprunte des éléments à la collaboration et à la confrontation. A la collaboration, car négocier c'est rechercher une position qui soit satisfaisante pour les deux parties. A la confrontation, car négocier, c'est tenir ferme sur certaine position ; c'est tenter d'exploiter la situation au maxi-

---

1. V. Packard, *A l'assaut de la pyramide sociale*, Paris, Calmann-Lévy, 1962.

mum, c'est aussi éventuellement menacer de rompre la négociation pour aller, soit vers la lutte, soit vers l'isolement.

L'évaluation du rapport de forces.

Négocier se fait toujours dans un rapport de forces. Imaginons deux gamins ; que l'un d'eux possède des billes vertes et
l'autre des billes rouges, et que tous les deux désirent enrichir
leur palette. S'ils sont de la même force physique et de la même
intelligence, ils échangent une bille verte contre une bille rouge.
Si l'un est plus malin, il pourra faire valoir que la couleur de ses
propres billes est plus séduisante, ou qu'il n'a pas tellement
envie d'échanger, et pourra peut-être obtenir un échange du
type 3 contre 4. Si l'un est physiquement plus fort que l'autre,
il pourra user de menace ou de coercition pour obtenir un
échange de type 1 contre 2. Si l'un est vraiment beaucoup plus
fort physiquement, le plus faible aura intérêt à n'engager
aucune négociation et à cacher les billes.

Le rapport de forces est complexe, car dans notre exemple, si
l'un est plus fort, l'autre peut être plus intelligent. Dans ce cas,
l'équilibre sera modifié.

Vis-à-vis de votre supérieur, il est certain que vous partez
avec un handicap sérieux, car il dispose d'une certaine force.
Le partage sera donc quelque peu inégal, sauf si, par exemple,
vous disposez de quelque chose qu'il désire beaucoup.

L'objet de la négociation

Ce sont les termes de l'échange. Vous êtes déjà en situation
de négociation, puisque chaque jour vous échangez votre travail, dont il a besoin, contre un salaire dont vous avez besoin.
Cet échange est, en partie, déterminé par un rapport de forces :
suivant les pays ou les époques, le même travail est plus ou
moins payé. Mais l'échange est aussi fonction de la désidérabi-
lité de votre travail : telle spécialité est mieux payée qu'une
autre, etc.

Cette négociation est continue ; chaque année vous pouvez
être augmenté si votre contrepartie de travail apparaît meilleure. A l'inverse, vous pouvez avoir des ennuis ou même
aboutir au licenciement.

Mais tout ceci est très global. A l'intérieur de cela, une négociation plus subtile s'opère, dans une marge entre deux limites,

supérieure et inférieure. A l'intérieur de cette marge, ce que vous faites n'influera pas fortement sur le résultat final : le niveau de votre salaire ou votre licenciement. Mais vous pouvez aller vers la limite supérieure pour obtenir certains avantages, et si vous ne les obtenez pas, menacer de descendre vers la limite inférieure.

Dans cette marge, qu'échanger ? Il est difficile d'entrer dans les détails car cela dépend du type de votre travail, de votre niveau technique, des caractéristiques de votre supérieur, des vôtres, de l'entreprise. De façon générale, ce qu'on peut échanger, c'est ce qui est peu coûteux pour soi, mais désirable par l'autre.

L'éducation

Il peut paraître paradoxal de vouloir éduquer son supérieur, mais pourtant c'est une orientation à tenter. Il est évident qu'il n'est pas question de le changer profondément, mais de lui faire perdre certains réflexes désagréables, ou de lui en faire acquérir d'autres. Quelles que soient leurs qualités, bien des supérieurs ont des défauts qui peuvent être déplaisants, ou faire perdre du temps, ou causer de l'humeur. Par exemple : les retards systématiques et les rendez-vous déplacés, un côté brouillon, des ordres imprécis, etc. Face à ces défauts, vous pouvez faire le gros dos ou réagir. Mais il est inefficace (bien que cela soulage) de réagir vous-même par de la mauvaise humeur. Il faut regarder les choses froidement, et voir quels remèdes y apporter.

Un premier remède à tenter est d'organiser vous-même votre supérieur, de l'enserrer dans un certain nombre de procédures qui vous permettent de le tenir. Il va de soi qu'il faut présenter ces procédures comme vous enserrant, vous, comme destinées à pallier certains de vos défauts. Puisqu'il s'agit de vous corriger, vous, il y a de fortes chances que votre supérieur se prête à votre jeu. En bureaucratisant vos relations, vous le contraindrez par là même à respecter un certain nombre de points.

Un deuxième remède à tenter est de dédramatiser vos relations en en réduisant l'affectivité. Face à un défaut de votre supérieur, il est possible que vous réagissiez vivement par agacement ; votre supérieur réagit à son tour, d'autant plus qu'il estime que vous êtes dans votre tort, et vous-même à votre tour... Il y a donc là un risque de réaction circulaire et d'escalade qui est d'autant plus dangereux que vous n'êtes pas en situation de force et que vous n'aurez pas le dernier mot.

Il est donc plus sage (ce qui ne veut pas dire facile) de rompre un cercle vicieux en ramenant à leurs justes proportions les accrochages que vous pouvez avoir.

La confrontation

Être confrontif c'est déclarer ouvertement un certain nombre de désaccords ; c'est donc avoir un certain courage, qui ne doit évidemment pas aller jusqu'à la témérité. Mais, c'est le faire dans une optique positive, sans aller jusqu'au blocage.

Cette confrontation peut se faire soit sur les objectifs, soit sur les moyens. Il va de soi que la confrontation sur les objectifs est délicate, car elle peut apparaître comme une déloyauté et donc mener à la mise en cause de votre appartenance au service ou à l'entreprise. Elle n'est donc guère concevable qu'à partir d'un niveau hiérarchique élevé ou d'une compétence reconnue ou d'une ancienneté et d'une expérience estimables. Dans les autres cas, il faut être prudent.

La confrontation sur les moyens est plus aisée car elle peut se faire à partir de votre compétence qui est reconnue ou qui peut être reconnue, même dans les tâches simples. Après tout, un lampiste sait mieux tenir sa lampe que le directeur général.

La confrontation a donc l'avantage de faire reconnaître votre compétence dans ce qu'elle a de spécifique.

La lutte[2]

C'est une position à n'envisager qu'en dernier ressort, car votre infériorité hiérarchique est un handicap certain. Elle n'a de sens que dans deux cas : soit vous avez échoué en tentant d'utiliser les autres types de relation, et d'une certaine façon vous vous battez le dos au mur ; soit vous disposez pour une raison ou pour une autre, d'une supériorité qui vous fait envisager l'issue de la lutte avec optimisme.

La lutte n'est pas une fin en soi, ce n'est qu'un moyen pour atteindre un objectif. Ce point est extrêmement important, car trop souvent, on engage la lutte pour des raisons affectives qui n'ont pas de justification rationnelle et objective. Certes, on

2. Les paragraphes suivants sont largement inspirés de l'ouvrage de Sun Tzu, *L'art de la guerre*, Édition Champs, Paris, Flammarion, 1978.

peut céder à l'agacement, avoir un moment d'humeur, se met-tre en colère, mais ceci n'est pas une politique et ne peut servir de base à une politique.

Quelle que soit la situation, la lutte ne doit être engagée qu'après une étude poussée du rapport de forces. Deux cas peuvent se présenter : on se bat pour vaincre ; on se bat pour ne pas être vaincu. Il n'est pas nécessaire d'avoir le même rapport de forces dans les deux cas, mais dans les deux cas, il ne doit pas être défavorable. L'évaluation du rapport de forces doit prendre en considération : l'environnement moral, les alliances et les moyens.

L'environnement moral

Dans certaines entreprises, la lutte peut être envisagée favo-rablement de façon générale. Dans d'autres, elle peut être par-ticulièrement mal vue. Là comme ailleurs, l'appréciation ne doit pas se fonder sur ce qui est dit, mais sur ce qui se passe réellement. Bien des entreprises prônent la concurrence, l'agressivité, mais les supportent très mal. Par ailleurs, engager la lutte avec un supérieur risque de coaliser tous les supérieurs dans la défense d'un des leurs parce qu'ils peuvent se sentir menacés.

Les alliances

Votre poids dépend évidemment de vos capacités à vous faire des alliés. Avoir des alliés suppose que vous ayez fait une analyse de la situation, qu'ils ont fait la même analyse, ou que vous ayez su leur faire partager la vôtre, et qu'il en découle que vous avez des intérêts communs. Cela suppose aussi que vos alliés et vous soyez d'accord sur la stratégie à employer. Mais la difficulté principale réside dans la fidélité de vos alliés. Mieux vaut ne pas avoir d'alliés que des alliés qui vous abandonnent, ou pire, qui se retournent contre vous. C'est ainsi que plus la victoire est proche et plus les alliés ont tendance à devenir auto-nomes ou à préjuger de l'issue. Enfin, il faut bien voir qu'une fois la victoire acquise, des alliés peuvent devenir encombrants ou gourmands[3].

Mais, la principale difficulté réside dans la gestion de la tac-tique quotidienne. Vous ne pouvez pas toujours surveiller vos alliés, et ils peuvent prendre des initiatives regrettables. Il vaut

---

3. J. Boissevain, *Friends of friends : networks, manipulations and coalitions*, N. Y., St Martin's Press, 1974.

donc mieux se passer d'alliés, sauf momentanés, que d'en avoir
de peu sûrs.

Les moyens

De façon générale c'est ce que vous contrôlez et qui est
incontrôlable par votre supérieur. Les moyens principaux
sont :

— l'information que vous contrôlez ;
— les compétences que vous contrôlez ;
— le système informel que vous contrôlez.

Si le rapport de forces paraît favorable, il faut ensuite décider d'un objectif. Trois objectifs peuvent être distingués :

— aboutir à un nouvel équilibre, qui vous soit plus favorable ;
— obtenir une mutation ou une promotion dans un autre
service ;
— prendre la place de votre supérieur.

Ces objectifs, comme tout objectif, doivent tenir compte, de
façon équilibrée, du rapport de forces d'une part, et de votre
désir d'autre part. Faites attention à ce que votre désir ne vous
obnubile pas et vous empêche d'aboutir à une évaluation correcte du rapport de forces.

Une fois l'objectif défini, il faut concevoir une stratégie.
Deux grands types de stratégies peuvent être envisagés : l'attaque et l'autonomisation.

L'attaque

La meilleure défense, c'est l'attaque, dit-on. Il faut se méfier
de cet adage militaire qui n'a de sens qu'entre ennemis à mort.
A la fois pour des raisons morales et des raisons tactiques,
l'attaque n'est peut-être pas la meilleure stratégie dans le cas
qui nous occupe ; pour des raisons morales, car l'attaque
consisterait à tenter de nuire sérieusement à votre supérieur. Et
pour des raisons tactiques, car une telle stratégie serait très mal
vue (sauf cas très exceptionnel) de tout l'environnement dont
vous dépendez en général étroitement. Vous vous heurteriez
alors à une coalition qui risquerait fort de vous écraser.

L'autonomisation

Elle comporte deux facettes. Elle consiste d'une part à vous
rendre le plus indépendant possible de votre supérieur, dans
l'aire actuelle de votre tâche ; et d'autre part, à construire à

côté quelque chose qui soit, par nature, indépendant de votre supérieur.

Dans la tâche actuelle, il s'agit de minimiser la dépendance. Cela suppose que vous mettiez en place et disposiez de ce qui fait la supériorité de votre supérieur : informations indispensables, accès à l'échelon hiérarchique supérieur à celui de votre supérieur, autorité sur vos subordonnés, relations latérales acceptées, etc. Au fond, cela consiste à faire comme si votre supérieur était momentanément empêché et absent.

La construction d'un monde indépendant consiste à élargir votre tâche actuelle à d'autres domaines en tentant peu à peu de substituer ces autres tâches aux tâches actuelles. Cela peut se faire en toute indépendance. Cela peut se faire aussi en collaboration avec un autre hiérarchique qui verra ainsi s'étendre sa zone d'influence, ou mieux, avec un fonctionnel, qui sera probablement heureux de jouer un peu au hiérarchique, ou qui verra là un moyen d'influence plus direct que celui dont il a l'habitude.

Mais, par ailleurs, vous devez anticiper les réactions possibles de votre supérieur. « Si je souhaite prendre l'avantage sur l'ennemi, je ne dois pas envisager uniquement l'avantage que j'y trouverai, mais je dois d'abord considérer la façon dont il peut me nuire si j'agis ainsi » (Sun Tzu).

Mais rappelons-le, la lutte n'est à envisager qu'en dernier ressort. Elle doit s'accompagner de précautions. La première est d'anticiper les réactions possibles de votre supérieur. Il peut très bien sentir venir les choses et décider d'attaquer en premier, auquel cas toute votre stratégie risque fort d'être annulée, et vous pouvez même être acculé à vous soumettre ou à vous démettre. Il faut ensuite donner le change, c'est-à-dire ne pas éveiller suspicions ou craintes, qui nous ramèneraient au cas précédent. Il faut enfin ne pas donner prise, c'est-à-dire être absolument irréprochable sur le plan professionnel.

Cette stratégie est donc difficile. Elle doit être choisie après mûre réflexion, et mise en œuvre de façon logique. Il serait extrêmement dangereux de prendre des mouvements d'humeur pour une tactique, et une opposition stérile pour une stratégie.

5/ La gestion de l'affectivité

« A chaque saint, son encens. »
(Proverbe français)

Contrairement à des idées bien ancrées, la gestion des entreprises n'obéit que partiellement à des critères purement rationnels. C'est encore plus vrai au niveau des unités qui composent l'entreprise et nombre de responsables agissent beaucoup plus en fonction de leur affectivité que de leur raison.

La gestion de l'affectivité du supérieur hiérarchique est donc un élément particulièrement important. Ses sentiments sont tout aussi déterminants pour vous, sinon plus, que ses idées. Nous allons successivement, tenter d'identifier ces éléments affectifs, puis voir comment gérer cette affectivité en fonction de la vôtre.

L'affectivité du supérieur hiérarchique

Nous ne passerons pas en revue tous les éléments de l'affectivité, mais nous sélectionnerons ceux qui, à la fois, ont des chances d'être importants pour tout supérieur hiérarchique et d'affecter sa relation avec ses subordonnés.

L'ambition

Puisqu'il occupe le poste qu'il occupe, il y a de bonnes raisons de penser que votre supérieur hiérarchique est ambitieux. Ceci étant, il peut avoir atteint ou non son dégré d'incompétence, c'est-à-dire occuper un poste qui dépasse plus ou moins ses capacités. Autrement dit, son ambition peut être légitime si le désir qu'il a de continuer à grimper dans la hiérarchie s'appuie sur des réserves de compétence, ou bien elle peut être illégitime si l'ambition n'est plus qu'une habitude.

Ceci est important quant à la stratégie d'interaction à adopter vis-à-vis de lui. Si son ambition est légitime, la collaboration a des chances d'être la meilleure stratégie car on pourra suivre sa carrière. Si elle est illégitime, une stratégie de confrontation le poussant à démontrer son incompétence peut être envisagée.

La domination

Tout le monde aime plus ou moins dominer, et l'on peut soupçonner ceux qui prétendent le contraire, d'un refoulement à la mesure de leur violent désir de domination. Ceci étant, ce désir peut être plus ou moins actif ou plus ou moins sublimé. Certains arrivent à le détourner vers la domination de la matière, vers la connaissance, etc. Mais d'autres aiment surtout dominer leurs semblables, qui ne sont d'ailleurs plus leurs semblables puisqu'ils sont des dominés. « Le concept de l'égalité n'existe pas pour l'autoritaire... A ses yeux, le monde est composé de supérieurs et d'inférieurs, d'individus qui possèdent le pouvoir, et d'autres qui n'en ont pas. »[1]

La vanité

« La crème monte toujours à la surface. Cette métaphore domestique optimiste est d'un grand réconfort pour les hommes capables de l'organisation, et plus ils approchent du sommet, plus ils la trouvent sympathique. Mais les sociétés ne sont pas des bouteilles de lait : quelques-unes sont des bouteilles de vinaigrette dans lesquelles l'huile monte et le vinaigre reste au fond[2]. »

---

1. E. FROMM, *La peur de la liberté*, Paris, Buchet-Chastel, 1963.
2. A. JAY, *Machiavel et les princes*, Paris, R. Laffont, 1968.

Votre supérieur a donc de fortes chances de se prendre pour la crème ou pour une partie de la crème de l'entreprise, et d'une certaine façon, le poste qu'il occupe justifie en partie cette façon de voir. Mais pour lui, ce n'est probablement pas une justification partielle, ou plus précisément tout lui sert à justifier cette bonne opinion qu'il a de lui.

Vous êtes donc, vous, le subordonné, une des pièces de ce système de justification. Votre infériorité statutaire est nécessaire à la supériorité statutaire de votre supérieur. Mais ce n'est pas suffisant. Une fois de plus concédez à votre supérieur les détails qui, là aussi, marqueront la différence entre vous et lui.

La jalousie et l'envie

La jalousie c'est le désir de prendre à l'autre ce qu'il possède, ou la crainte qu'il ne nous prenne ce que l'on possède. L'envie c'est le désir de détruire ce que l'autre possède. Probablement votre supérieur dirige plutôt ces sentiments sur ses propres supérieurs. Mais il peut être jaloux ou envieux de ce que vous possédez et que lui ne possède plus, et tout simplement, par exemple, cette irresponsabilité que vous avez puisque vous n'avez pas encore accédé aux mêmes responsabilités que lui.

La peur, l'anxiété, l'angoisse

La peur c'est la réaction à une situation dangereuse actuelle. L'anxiété à une situation future et l'angoisse à une situation passée mais réactivée par le présent. La peur est une réaction normale, l'anxiété une réaction excessive et l'angoisse une réaction quasi pathologique car beaucoup plus liée aux problèmes personnels de l'individu qui les éprouve qu'à la réalité objective.

Seules l'anxiété et l'angoisse nous intéressent ici. Le caractère anxieux d'un supérieur est en effet quelque chose d'éprouvant pour ses subordonnés car généralement il ne l'avoue pas (il ne peut pas l'avouer) et la fait retomber sur eux sous les formes les plus diverses, le plus souvent sous forme d'un contrôle tatillon (ça le rassure) et imprévisible (cela dépend de ce qui tout d'un coup l'obsède). Il est donc difficile de gérer un anxieux et face à lui, la seule gestion possible est une gestion de soi : il ne faut surtout pas se laisser gagner par son anxiété, qui est malheureusement contagieuse.

Quant à l'angoisse, elle n'est pas gérable : il faut la fuir.

État visible et état caché

Tous les sentiments précédents peuvent se présenter sous deux états : visible et caché. L'état caché peut lui-même présenter deux variétés : l'individu est conscient de ses sentiments et ne les cache qu'à autrui ; l'individu n'est pas lui-même conscient de ses sentiments et se les cache autant à lui-même qu'aux autres.

Il n'est pas toujours facile de distinguer entre l'état caché et l'absence d'un sentiment, car l'état caché s'efforce de ressembler à l'absence. Quelques moyens permettent cependant d'y parvenir.

Un premier moyen est le repérage de la dénégation. La dénégation, c'est le fait de faire remarquer trop ouvertement, de façon trop appuyée, l'absence de tel ou tel sentiment. Elle s'exprime souvent de la façon suivante : « S'il y a une chose qui m'est totalement étrangère, c'est ... tel ou tel sentiment. » Si elle était si totalement étrangère, à quoi bon en parler. C'est par un mécanisme de ce genre, que les psychologues pensent que quelqu'un est en train de mentir, lorsqu'il répond : non, à une question du genre : « Avez-vous menti au moins une fois dans votre vie ? », car qui peut prétendre n'avoir jamais menti fut-ce à l'âge de cinq ans.

Une forme voisine de la dénégation est la dérision. Se moquer, un peu trop souvent, un peu trop longtemps, de telle ou telle chose, par exemple une décoration reçue, une promotion, un avantage quelconque, indique assez sûrement que l'individu qui se moque ainsi attache, en fait, beaucoup d'importance à ce détail. L'importance est marquée par le fait qu'il en parle et souvent de façon répétitive. La même importance tente de se masquer par la dérision.

Les comportements liés à l'affectivité du supérieur hiérarchique

Face à l'affectivité de votre supérieur, plusieurs comportements de base sont possibles.

La soumission. Les ethnologues racontent que dans certaines races d'animaux, par exemple, les loups, il suffit que le vaincu d'un combat présente sa gorge à la dent du vainqueur pour que celui-ci cesse de pousser son avantage. On pense aussi que les petits des animaux déclenchent chez les adultes une inhibition de l'agressivité. Chez les humains, race animale passablement perverse (la seule à faire la guerre à part les rats) les choses ne sont pas si simples. Le plus souvent, comme chez les animaux, la soumission déclenche une protection. Dans quelques cas, cependant, si la personne en face est franchement sadique, la soumission ne déclenchera que de nouvelles agressions. Il ne faut donc pas se tromper de diagnostic sur les caractéristiques psychologiques de son supérieur.

L'indépendance, elle, sera rarement appréciée, mais elle peut être respectée. Cela dépend de la capacité (le rapport de force) à la faire respecter. Cela dépend aussi de la culture de l'organisation, c'est-à-dire des valeurs qui sont dominantes (pas officiellement ; au contraire, il faut se méfier des discours qui prônent telle ou telle qualité, mais qui ne se traduisent pas dans les faits).

La séduction et l'indifférence. Séduire c'est proposer à autrui une image dans laquelle il se reconnaisse. C'est lui proposer l'image de ce qu'il veut être et de ce qu'il croit être. Autrement dit, séduire c'est montrer qu'on est séduit, c'est montrer que l'autre a des qualités telles qu'elles vous entraînent à votre corps défendant. L'avantage de la séduction, c'est donc qu'elle transcende les différences.

Quant à l'indifférence, elle peut jouer sur une loi des relations affectives qu'on pourrait appeler la loi du boomerang. On peut l'énoncer ainsi : à partir du moment où quelqu'un s'intéresse un peu à vous, plus vous lui paraîtrez indifférent, plus il s'intéressera à vous.

Il va de soi, cependant, qu'aucun de ces comportements ne peut être pur. D'une part, parce que personne ne peut psychologiquement être ou totalement soumis ou totalement indépendant ; d'autre part, parce qu'il serait imprudent de ne pas panacher ces comportements. Ce panachage doit tenir compte de la personnalité du supérieur, cela va de soi, mais aussi des circonstances et des situations, cela va de soi aussi. Mais surtout, ce panachage doit être de principe. On vous fera grief d'être toujours soumis ou toujours indépendant, parce que c'est un grief commode.

Il vous faut donc une certaine imprévisibilité dans vos comportements : vous gagnez ainsi de la liberté par rapport à l'autrui.

Les rituels sociaux

Tous les systèmes sociaux ont imaginé des rituels qui marquent et facilitent les rapports sociaux. Il en est ainsi des rituels de politesse qui, à la fois, spécifient le statut de chacun et sa place dans le système social, et par là même ont aussi pour fonction d'empêcher le développement d'une agressivité constante. La politesse indique donc à la fois qui il faut vouvoyer et qui tutoyer, et quand il faut demander pardon, se faire excuser, etc.

La relation hiérarchique comprend un certain nombre de ces rituels. Souvent ils sont inavoués, mais en même temps attendus. Ne pas répondre à cette attente sera donc vécu comme un manquement aux règles qui régissent les rapports sociaux, et d'autant plus que cette attente est souvent inavouable.

Les rituels axés sur le narcissisme

> « Quand on félicite la hyène de la beauté de son enfant, elle répond qu'elle ne lui a pas encore fait sa toilette. »
>
> (Proverbe voltaïque)

Commençons par une constatation qu'on peut faire couramment. Rien n'est plus déplaisant que d'entendre des gens parler de nous lorsqu'ils ne savent pas que nous les entendons. Nous estimons qu'ils sont féroces, injustes, mal informés, etc. Sans doute est-ce en partie vrai. Mais même si ce qu'ils disaient était l'exacte vérité, cela ne laisserait pas de faire souffrir notre narcissisme, c'est-à-dire cette bonne opinion que nous avons de nous, quand bien même nous ne l'avouons pas aux autres, ni parfois à nous-mêmes.

Or, nous avons déjà remarqué que bien des supérieurs sont caractérisés par une certaine inflation narcissique ; qu'ils ont pu faire partager aux autres la bonne opinion qu'ils ont d'eux-mêmes, ce qui n'a pu que les renforcer dans cette bonne opinion. Et ce narcissisme est évidemment très sensible. Il est donc nécessaire de le ménager, sinon de le flatter.

Distinguons donc certaines façons et certains degrés. Commençons par les félicitations et les compliments. Complimenter est d'un usage social si courant dans de nombreuses circonstances, que nous n'y prenons pas garde et que nous le faisons sans y réfléchir. Mais certains individus le font peut-être plus souvent, étant plus attentifs aux occasions. Tous les hommes ne pensent pas à complimenter leur femme lorsqu'elle arbore une nouvelle robe. Mais ceux qui le font s'en trouvent bien. Il s'agit d'un de ces petits riens qui facilitent les rapports sociaux.

Votre supérieur a, bien sûr, des qualités. Il lui arrive d'avoir des réussites. Des événements heureux lui surviennent. Ce sont autant d'occasions de le féliciter et de le complimenter. Vous n'y manquez sans doute pas, car ces usages sont quasi obligatoires dans le système de politesse de nos sociétés. Mais sans doute peut-on ou faut-il aller un peu plus loin.

Nous arrivons alors à la louange et à la flatterie. Louer, c'est célébrer les vertus que quelqu'un a. Flatter c'est célébrer des vertus qu'il n'a pas ou pas à un tel niveau. Ce qui pousse à la flatterie, c'est que chacun est persuadé avoir plus de qualités qu'on ne lui en reconnaît habituellement, et qu'à beaucoup la louange paraît insuffisante.

Ceci étant, les moralistes condamnent la flatterie ; les cyniques en reconnaissent l'impact ; les malins l'utilisent. A chacun, selon son système moral, de la condamner ou de l'utiliser. Cependant la flatterie pour être efficace doit obéir à un certain nombre de règles.

Une bonne flatterie doit toujours être légèrement en avance sur ce que l'individu à flatter a l'habitude d'entendre, sinon elle passera, non pour l'expression de la vérité, mais pour une critique voilée. Elle doit cependant être progressive, un saut trop important risquant d'attirer l'attention.

Elle a également intérêt à porter sur un aspect inhabituel. Dire à une jolie femme qu'elle est la plus belle ou à une femme intelligente qu'elle est géniale est nécessaire, mais pas suffisant. En revanche, dire à une jolie femme qu'elle est très intelligente ou à une femme intelligente qu'elle est ravissante sera d'un effet beaucoup plus efficace. Elle aura le sentiment qu'on a enfin découvert sa véritable personnalité. C'est pour la même raison qu'un militaire sera toujours beaucoup plus touché qu'on flatte ses talents d'écrivain que ses talents guerriers, et que les maréchaux intriguent pour entrer à l'Académie française.

Ceci est important parce que cela permet de renouveler la flatterie en touchant successivement les différents aspects d'une personnalité, même si ces aspects manquent singulièrement de relief. Et l'individu se sentira d'autant plus flatté que justement vous mettez en relief ce qui n'en a guère.

Une technique classique de flatterie consiste à commencer par une très légère critique ou une très légère réticence. Cette critique doit être ensuite rapportée à la faiblesse de celui qui flatte (le subordonné), qui n'a pas su voir immédiatement la qualité (ou l'ampleur) de ce que proposait le supérieur.

Cela peut donner approximativement ceci : « J'étais quelque peu en désaccord, l'autre jour, lorsque vous m'avez proposé telle chose, au moins sur un point qui me paraissait important. Cela m'a amené à réfléchir, et je me suis aperçu que mon désaccord provenait de ce que je n'avais pas saisi la totalité du problème. En réfléchissant bien, je me suis aperçu que votre proposition était la plus pratique (ou efficace, ou moins coûteuse...).»

La chute : une fois les compliments faits, vous pouvez, pour parachever votre travail, émettre une légère réticence ou un petit désaccord sur un point de détail. Cela vous empêchera de passer pour un vil flatteur.

Ce système a plusieurs avantages. En marquant un désaccord au départ, vous évitez de passer pour l'individu plat qui est toujours d'accord (donc, qui n'a aucune personnalité). En vous rangeant ensuite à l'avis de votre supérieur, vous démontrez votre capacité d'adaptation, votre souplesse d'esprit. Et en terminant par une réticence, vous montrez votre fermeté de caractère et... vous réservez l'avenir. Quant à l'obséquiosité, elle est à proscrire radicalement, car elle est inefficace. Vous passeriez pour un faible et l'on en profiterait.

Les rituels axés sur le territoire

Le territoire c'est l'espace physique et l'espace psychique que chacun considère comme sien. L'intrusion d'autrui dans ce territoire est donc ressenti comme une agression. Cet espace personnel que chacun[3] considère comme étant inviolable, est très variable suivant les individus, pour certains très large, pour d'autres fort restreint.

---

3. Cf. R. Lecuyer, « Psychosociologie de l'espace » *Année psychologique*, 1976, 76, n° 2.

Chaque système social a mis au point un certain nombre de rituels pour signifier la non-agression, quand pour une raison ou une autre on est amené à franchir la limite du territoire. C'est ainsi que dans le métro parisien, où les individus sont très serrés et empiètent manifestement sur les territoires des voisins, l'intention de non-agression se traduit par l'immobilité, le silence et le regard vide.

Comme tout un chacun, votre supérieur a un territoire. Laissons de côté le territoire physique sur lequel il y a peu à dire, car dans la relation hiérarchique il y a peu de chance pour que, même si vous le vouliez, vous puissiez empiéter sur ce territoire. Centrons-nous plutôt sur son territoire psychique. Ce territoire peut se décomposer en trois domaines : les domaines réservés, ceux d'excellence et ceux d'ignorance cachée.

Les domaines réservés

Il est très probable que votre supérieur ressent certains domaines d'activité comme lui étant particulièrement réservés. Cela peut se traduire par le fait qu'il consacre plus de temps et plus d'énergie à certaines de ses activités normales. Cela peut se traduire aussi par le fait qu'il contrôle de plus près certaines de vos activités. Mais cela peut se traduire aussi par le fait qu'il empiète sur certaines de vos activités, même si officiellement elles sont les vôtres, et même si c'est lui qui vous les a déléguées ou confiées.

Très souvent, ces domaines réservés sont ceux de ses anciennes fonctions. Y ayant réussi, il se complaît à les répéter, même si elles ne relèvent plus de lui.

Les domaines d'excellence

Il y a certains domaines où votre supérieur excelle ou croit exceller. C'est une variété de domaines réservés, et il serait malséant de vous en occuper ou de prétendre y prendre des initiatives ou de vouloir y exceller à votre tour.

Les domaines d'ignorance cachée

Ils sont encore plus piégés que les autres. Vous devez les ignorer complètement et ne jamais vous y aventurer.

Les rituels centrés sur l'agressivité

« L'homme est un loup pour l'homme », mais c'est aussi un animal social. De nombreux rituels entrent en jeu ici aussi, pour empêcher l'agressivité de dégénérer et pour empêcher qu'il y ait erreur d'appréciation sur le niveau d'agressivité que l'on éprouve.

Jusqu'à un certain niveau, et selon certaines modalités, l'agressivité est tolérée et même encouragée sous les noms de compétition, de concurrence, etc. On apprécie qu'un jeune soit agressif. On apprécie aussi qu'il sache jusqu'où aller trop loin et qu'il sache respecter les règles du jeu.

Vis-à-vis de votre supérieur, si pour une raison ou une autre vous devez faire preuve d'une certaine agressivité, ne serait-ce que pour vous défendre, marquez bien par un rituel adapté que vous savez jusqu'où vous pouvez aller.

Le moment et la façon

Les rituels sociaux obéissent à un certain nombre de règles. La première de ces règles est celle d'opportunité. Il y a des moments où il est bon de dire la vérité et d'autres où il est sage de la taire. Il y a des moments où la critique sera supportée et d'autres où elle apparaîtra comme négative ou perverse. Cette opportunité est psychologique et sociale. Psychologique, car selon ses humeurs, ses réactions aux événements, votre supérieur sera ouvert ou « à ne pas prendre avec des pincettes ». Sociale, car certaines choses peuvent être dites en privé qui apparaîtront comme insupportables en public. Il faut donc toujours réfléchir à l'opportunité de ce qu'on va dire.

La seconde de ces règles est celle de graduation. Chacun connaît l'histoire de Gil Blas et de l'évêque de Salamanque. Ce dernier, remarquable par ses prêches et ses homélies demanda à Gil Blas, son secrétaire, de le prévenir lorsqu'il baisserait, pour lui éviter de devenir ridicule en vieillissant. Après une maladie de l'évêque, Gil Blas remarqua une chute brutale de la qualité du sermon et en avertit l'évêque. Celui-ci se fâcha lui disant que c'était, au contraire, son meilleur sermon, et mit Gil Blas à la porte. Il est probable que, de toute façon, l'évêque n'aurait jamais supporté la vérité. Mais Gil Blas commit une erreur, qui était d'annoncer la vérité dans sa brutalité. Il aurait dû aller de façon beaucoup plus progressive et ne commencer que par quelques réticences. Personne n'aime les révélations brutales qui bouleversent la perception que l'on a de soi et de ses relations avec l'extérieur. Il faut donc toujours graduer ce que l'on a à dire, soit dans le temps, soit en fonction de la personnalité de celui auquel on s'adresse.

6/ La gestion de l'information

La gestion de l'information est un aspect fondamental de toute gestion et particulièrement de la gestion de votre supérieur hiérarchique. En effet, votre supérieur a besoin non seulement de ce que vous faites (la tâche que vous accomplissez), mais il a besoin de l'information que vous détenez. Il a également besoin d'informations sur vous pour vous gérer à son avantage. Et d'un autre côté, vous avez également besoin d'information pour atteindre vos propres objectifs.

Nous distinguerons donc deux points : l'un qui concerne l'information que l'on recherche (s'informer) et l'autre l'information que l'on donne (informer).

S'informer

Être informé a plusieurs avantages, mais il va de soi qu'être vraiment informé, c'est être informé de ce que les autres ignorent. Ce que tout le monde sait n'a plus aucune valeur car cela n'apporte plus d'avantage.

Le premier avantage de l'information c'est de permettre des stratégies qui intègrent des éléments que les autres ne connaissent pas, donc d'éliminer des risques que les autres doivent prendre.

Le second, c'est de mieux prévoir ce que va faire autrui ou de mieux savoir ce qu'il a fait, l'un facilitant l'autre.

Le troisième, qui n'est pas négligeable, même s'il est surtout symbolique, c'est que l'information privilégiée fait appartenir au groupe privilégié, qui de droit ou de fait, a accès à cette information. Faire partie des « happy few » est toujours plus agréable que de faire partie des rejetés, et d'ailleurs cela a des retombées matérielles non négligeables.

Le premier point à considérer est : sur qui et de quoi s'informer.

D'une certaine façon, tout est bon à prendre et c'est un peu ce que fait la police qui ne néglige ni des faits, ni des ragots, pensant bien qu'un jour ou l'autre cela aura quelque utilité et qu'un élément apparemment insignifiant peut devenir extrêmement significatif lorsqu'il est rapporté à un ensemble. C'est ce qui rend l'informatisation des données si redoutable, en cas d'utilisation malveillante.

Ceci étant, tout ne présente pas le même intérêt et pour des raisons pratiques évidentes, il faut choisir.

L'information sur le supérieur hiérarchique est évidemment primordiale. C'est peut-être le cas où toutes les informations sont intéressantes. Il n'y a guère que des raisons morales qui peuvent empêcher de s'intéresser à telle ou telle information.

Le passé. Lorsque vous êtes entré dans l'entreprise, on vous a demandé votre curriculum vitae et votre supérieur l'a lu. Vous, en revanche, n'avez pas eu accès au curriculum vitae de votre supérieur. Vous n'avez, en principe, aucune information sur ce qu'il a fait avant de devenir son subordonné. Il va pourtant de soi que l'information sur son passé est aussi importante pour vous, que l'information sur votre passé lui a été utile. Il est toujours important pour comprendre quelqu'un et prévoir ses réactions de savoir quelles études il a fait, quels postes il a occupé, dans quelle entreprise il a travaillé, etc., étant donné l'importance des habitudes acquises alors sur son comportement actuel.

Les objectifs. Connaître les objectifs de votre supérieur, en termes de carrière dans ou hors l'entreprise, a une importance fondamentale car ces objectifs déterminent pour une bonne part, (au moins sur le plan intellectuel) son comportement vis-à-vis de vous. Par ailleurs ces objectifs déterminent une partie de sa stratégie.

La stratégie. A un même objectif peuvent correspondre plusieurs stratégies. Tout élément qui permet d'identifier la stratégie suivie est donc très important.

L'information sur les égaux est également importante, car c'est avec eux que l'on a le maximum d'interactions. C'est avec eux que l'on peut s'allier. Ce sont eux qui peuvent vous combattre efficacement, etc. Les informations à recueillir sont les mêmes que celles sur le supérieur hiérarchique, passé, objectifs (futur) et moyens (stratégie). L'information est cependant plus facile à recueillir.

Enfin, il ne faut pas négliger l'information sur l'environnement que constitue l'entreprise. La stratégie de votre supérieur hiérarchique se déploie dans une entreprise ou une organisation qui a sa spécificité. Cette stratégie obéit donc à des contraintes. Toute information sur les contraintes est donc importante pour vous. Nous renvoyons sur ce point à ce que nous avons dit de l'environnement sociologique. C'est sur les points alors évoqués que doit porter la recherche de l'information.

Pour réunir toute cette information, plusieurs sources peuvent être utilisées : la première, ce sont les *individus eux-mêmes*. Commençons par le plus difficile qui est votre supérieur lui-même. Il n'est peut-être pas aussi fermé qu'il paraît. Peut-être même est-il bavard. On peut parier, que comme beaucoup d'individus, il aime assez à parler de lui, trouvant que somme toute, c'est bien le sujet le plus intéressant qui puisse exister. Vous pouvez donc saisir des occasions de le faire parler ou de le laisser parler. Il n'y a à cela que deux limites. La première est qu'il ne faut jamais avoir l'air d'interroger et donc d'être indiscret. La seconde est qu'il ne faut jamais faire état devant lui (sauf si c'est pour un compliment) de ce qu'il a pu vous dire. Il pourrait regretter de s'être ainsi ouvert et alors se fermer ou même vous en vouloir[1].

Un autre moyen est de s'informer auprès d'autrui et par exemple de collègues ou d'autres subordonnés. Il faudra évidemment faire la part de leurs sentiments positifs ou négatifs vis-à-vis de votre supérieur, mais leur perception peut compléter la vôtre, et parfois même la contredire. Il faudra alors vous interroger sur les raisons de cette contradiction. Est-ce leur perception ou la vôtre qui est faussée ? et pourquoi ?

---

1. « *La confidence du prince n'est pas une faveur, mais un impôt.* » B. GRACIAN. Oraculo Manual.

Remarquons que les sources précédemment utilisées étaient les dires des individus eux-mêmes. Il va de soi que ces dires doivent être contrôlés et qu'il serait imprudent d'imaginer que ces dires sont toujours vrais. Chacun a trop intérêt à « arranger » la vérité, par vanité, par peur ou par intérêt, pour que celle-ci apparaisse sans être reconstruite. En revanche, les comportements des individus (ce qu'ils font) sont beaucoup plus vrais. Non pas qu'ils ne peuvent être déguisés, mais cela est beaucoup plus difficile : « chassez le naturel, il revient au galop ». Cependant, comme nous l'avons vu précédemment, ces comportements doivent être interprétés.

Enfin, une dernière source d'informations ne doit pas être négligée : c'est le fonctionnement de l'organisation. Une organisation produit : des discours, des actes, des façons de faire, etc. Cette production équivaut à une information. On peut aussi accéder à autre chose qu'aux discours et aux comportements des individus, au comportement de l'organisation elle-même.

Informer

> « Trop gratter cuit, trop parler nuit. »
> (Proverbe français)

A quelque niveau de responsabilités que vous soyez, vous disposez d'informations dont votre supérieur ne dispose pas. Ce peut être de par votre fonction : votre travail traite des informations ou vous donne accès à des informations et votre supérieur n'a pas le temps de s'informer directement. Ce peut être par vos relations avec vos égaux qui vous fournissent également d'autres informations. Ce peut être, enfin, par vos propres subordonnés qui vous donnent de l'information ou sur lesquels vous avez de l'information.

Cette quantité d'informations ne vous paraît peut-être pas considérable. Réfléchissez cependant, par comparaison, à celle dont vous disposez et à celle dont dispose votre supérieur sur le même sujet. Elle vous apparaîtra maintenant plus importante. Et d'ailleurs, vous pouvez encore l'augmenter si vous le désirez.

De cette information, qu'allez-vous faire ? Il est clair que vous devez en transmettre une partie. Mais il n'est peut-être pas nécessaire de tout transmettre et, dans certains cas, il vaut mieux ne pas tout transmettre. Nous allons donc examiner les modalités de « traitement » de cette information.

De toute façon, l'information doit être sélective. Même dans le cas d'une relation fondée sur la collaboration la plus étroite, il va de soi qu'il n'est pas possible de donner à votre supérieur toute l'information qui est à votre disposition : ce serait le noyer sous une masse de détails dont il ne saurait que faire. Il va également de soi que ce même effet peut être utilisé dans une optique de lutte.

Dans les deux cas, que ce soit pour la retenir ou pour la communiquer il faut déterminer quelle est l'information pertinente.

Cette information pertinente est en fait assez difficile à déterminer. Par exemple, une information très générale, très répétitive n'a pas grand intérêt, car elle est trop prévisible ; elle est de l'ordre de la redondance. Mais une information exceptionnelle n'a pas grand intérêt non plus, car cela peut être l'exception qui confirme la règle. Dans d'autres cas, en revanche, elle est très importante, car elle signifie un changement de tendance, une nouveauté, une rupture. Ceci étant, une information pertinente est une information :

— qui s'inscrit dans une tendance, soit qu'elle la confirme, soit qu'elle la rompt. Il va de soi que la rupture est plus importante que la confirmation : une grève est plus importante que le travail normal, etc. ;
— qui n'est pas une redondance, c'est-à-dire qu'elle ne fait pas que répéter une même information mais sous une forme différente ;
— qu'elle a été confirmée, c'est-à-dire que, par exemple, la même information vient de sources différentes qui se confirment ainsi mutuellement ;
— qu'elle porte sur un point stratégique.

Une autre possibilité de traitement de l'information, c'est de la brouiller ou de la débrouiller. Le brouillage consiste à la rendre peu utilisable. Le débrouillage consiste au contraire, à enlever tous les bruits surajoutés qui la rendent peu compréhensible.

Il y a plusieurs procédés de brouillage. L'on peut coder le message, on peut l'interpréter à un niveau sans intérêt, on peut y ajouter du « bruit », on peut enfin le brouiller par l'affectivité.

Le brouillage par le codage est très simple, car en fait toute information est d'une certaine façon, déjà codée, puisque pour l'utiliser, elle doit être interprétée, c'est-à-dire qu'on doit trouver quelle signification elle a. Le brouillage par codage, ici, se résume donc à ne pas donner le code qui permet l'interprétation de l'information. Assez souvent ce code est connu de tous, mais dans certains cas, vous seul possédez le code qui permet de rendre significative l'information que vous transmettez. A défaut de ce code, l'information transmise pourra apparaître comme anodine, sans intérêt, ou même elle pourra être interprétée de façon erronée. Prenons par exemple le comportement d'un individu. Le même comportement pourra obéir à des raisons très différentes. Sans la connaissance de cette raison, on ne pourra comprendre ce comportement, lui donner sa signification. De nombreux romans policiers sont bâtis sur ce modèle : plusieurs individus ont des comportements qui peuvent faire d'eux des coupables ; mais un seul est coupable et les comportements des autres s'éclairent à la fin pour différentes raisons.

Il va de soi que certaines informations (par exemple les statistiques) sont plus difficiles à décoder que d'autres par les non-spécialistes. Le pouvoir d'un spécialiste découle d'abord de cette mainmise sur le système de codage, dont il ne livre la clé que pour autant qu'il le juge bon.

Une autre possibilité de brouillage est le choix du niveau d'interprétation. Il peut être rapproché du brouillage par codage puisque, là aussi, le problème est un problème d'interprétation. En effet, une interprétation peut se faire à plusieurs niveaux. Généralement, elle doit même être faite à plusieurs niveaux car ceux-ci ne sont pas exclusifs ; ils sont même complémentaires. Or la plupart du temps, par facilité, on tend à n'interpréter qu'à un seul niveau, celui qui paraît le plus simple. Et ce niveau paraît le plus simple parce qu'il est le plus habituel. Dans bien des entreprises, on interprète nombre de faits par l'influence (néfaste) des syndicats. C'est leur faire bien de l'honneur. A l'inverse, d'autres verront partout la main (non moins néfaste) du capitalisme international.

Ces interprétations sont évidemment réductrices. D'une part, elles ne donnent qu'une explication et d'autre part, peut-être pas l'interprétation la plus intéressante.

De façon générale en effet, l'interprétation ne prend tout son sens que si elle est faite au niveau adéquat. Prenons le cas d'une grève. On peut l'interpréter par l'action de meneurs. C'est peut-être vrai, mais pas très intéressant, car si les meneurs ont été suivis, c'est que le terrain s'y prêtait. On peut l'expliquer aussi par une demande d'augmentation de salaire. C'est sans doute également vrai, car qui ne demanderait une augmentation de salaire. On peut cependant l'expliquer par des conditions internes à l'entreprise : mauvaises conditions de travail, communications défectueuses, commandement inadéquat, etc. On est ici à un niveau d'interprétation beaucoup plus intéressant, parce qu'il est beaucoup moins externe.

On peut enfin utiliser le brouillage par le bruit. Le bruit peut être de différentes sortes. Dans le cas le plus simple, c'est une information surajoutée qui noie l'information importante. Un bon exemple en est les listings sans fin d'ordinateur, inutilisables parce qu'il y a trop d'information et qu'on n'a ni le courage ni les moyens d'en dégager l'information pertinente.

Ce peut être également une information fausse qui mise au milieu d'informations vraies, prendra leur air de vérité et isolée sera difficile à identifier.

De façon générale, toute information qui n'est ni vérifiée ni interprétée est en quelque sorte brouillée par nature, étant elle-même porteuse de bruits divers.

Enfin, un dernier mode de brouillage est le brouillage par l'affectivité. Ce qui est désirable est toujours plus croyable. On sélectionne l'information qui va dans le sens de ce qu'on désire, de ce qu'on croit, autrement dit de notre affectivité. Cela est utilisable à deux niveaux. Au premier niveau, on peut ainsi ne pas sélectionner, mais faire sélectionner l'information.

En effet, votre supérieur, comme tout le monde, sélectionnera en fonction de ses désirs, de ses habitudes, de ses craintes. Si vous lui présentez une série de faits bruts, il en oubliera certains, en accentuera d'autres. Un brouillage s'opèrera de lui-même.

A un deuxième niveau, celui de l'interprétation, il va de soi, également que l'interprétation qui sera la mieux acceptée sera aussi celle qui ira dans le sens de l'affectivité de votre supérieur.

Ces phénomènes sont extrêmement courants et se pratiquent souvent inconsciemment. C'est ce qui implique que les hauts personnages soient souvent si mal informés et le paient parfois très cher : personne n'ose plus leur présenter ni faits ni interprétations qui heurteraient leurs croyances. Et eux-mêmes ne savent plus interpréter qu'en fonction de ces mêmes croyances.

Quelques points d'application

> « Avec la vérité, on va partout, même en prison »
>
> (Proverbe polonais)

Que faire connaître de soi à son supérieur hiérarchique ? La règle fondamentale n'est que l'inverse de la règle qui vous gère vous-même : la carotte et le bâton. Autrement dit, il faut faire connaître de vous ce qui peut plaire et ce qui peut faire peur.

Commençons par ce qui plaît ou ce qui peut plaire. Il faut distinguer une fois de plus entre ce qui est conscient et ce qui est inconscient. Au niveau conscient, il faut faire connaître au supérieur tout ce qui en nous est proche de lui, dans quelque domaine que ce soit : cela peut aller du sport à votre vision morale du monde. Si vous n'avez rien de commun, n'accentuez pas cette différence et mettez-la au compte d'une infériorité de votre part. Si par exemple, vous fumez et votre supérieur ne fume pas, cela est évidemment dû à une plus grande maîtrise de sa part. Si vous ne fumez pas et que lui fume, cela est dû à votre incapacité à apprécier le goût du tabac. De toutes façons, ne faites jamais de votre différence une supériorité.

Les choses sont évidemment plus compliquées au niveau inconscient. Il s'agit au fond, ici, de coller à la névrose de votre supérieur. Or celle-ci est par définition refoulée, mais elle apparaît à travers quelques symptômes. Nous avons donc une situation complexe. D'un côté, le caractère apparent de votre supérieur sera souvent différent de son caractère réel. Cependant, dans son caractère réel, apparaissent quelques signes de sa névrose profonde. Il ne faut donc pas vous tromper.

Le bon signe du caractère névrotique d'un trait de personnalité de votre supérieur est la répétition. On entend par là le fait qu'un individu, dans une situation donnée ne réagit pas à cette situation, mais à une situation de son passé, toujours la même. Autrement dit, il réagira de la même façon à toutes les situations qui ont quelque chose de commun au niveau de sa névrose, sans tenir compte de la spécificité de la situation, qui pour un homme normal, appellerait des réactions spécifiques.

Nous touchons évidemment ici, à un domaine qui est plutôt celui de psychologues spécialisés, mais avec un peu d'attention on peut découvrir quelques points très utiles.

On peut également faire connaître ce qui peut faire peur. Il faut bien distinguer entre ce qui peut déplaire et ce qui peut vous faire craindre. Il faut toujours gommer ce qui peut seulement déplaire, mais il est bon de faire connaître un ou deux éléments qui peuvent vous faire craindre, c'est-à-dire tout ce qui peut causer des ennuis à votre supérieur s'il vous bouscule un peu trop. Faire connaître vos relations syndicales, politiques ou dans l'entreprise, ne peut que renforcer votre position, puisque celle-ci apparaît soutenue de l'extérieur. Laisser entendre qu'on peut avoir une réaction vive, si l'on vous fait des difficultés, peut également faire hésiter. De même, il est bon de laisser une certaine imprévisibilité à ce que serait votre comportement, toujours en cas de difficultés.

Enfin, dernier principe, il faut faire connaître ce qui est secondaire. C'est l'application du principe selon lequel l'information, c'est du pouvoir : l'information que vous donnez sur vous peut servir contre vous ; si l'on connaît vos goûts et vos désirs réels, vous donnez prise à la manipulation sinon au chantage.

Supposons par exemple que vous ayez la saine position que le travail est une chose d'autant meilleure qu'on n'en abuse pas. L'avouer serait très dangereux, car vous passeriez pour un paresseux, bien que vous ne le soyez pas. La stratégie consistera pour vous à passer pour très travailleur. Passer l'après-midi à bavarder mais rester à son bureau après l'heure de fermeture est par exemple, quelque chose que beaucoup d'individus pratiquent spontanément. Proposer de faire des heures supplémentaires ou de travailler pendant les vacances est également très souhaitable. Ne craignez rien, une fois votre réputation de travailleur établie, vous pourrez ralentir singulièrement votre rythme. Et puis c'est une question d'organisation : ce travail supplémentaire vous pourrez le récupérer en ne travaillant guère à d'autres moments.

Supposons également que l'argent soit la motivation essentielle de votre travail. Il faut remarquer que dans notre système actuel, autant il apparaît souhaitable qu'une entreprise fasse du bénéfice, autant il apparaît méprisable qu'un individu veuille gagner de l'argent. Il est donc préférable de ne pas avouer cette motivation, mais d'en avancer une autre, compréhensible, mais qui n'est pas fondamentale pour vous, par exemple, le goût des titres et des honneurs. On aura évidemment tendance à vous refuser ce que vous avouez désirer. Il ne vous restera plus, au cours d'une bonne négociation, qu'à abandonner vos prétentions en titres pour une contrepartie en argent. Vous aurez ainsi atteint votre objectif, mais personne ne vous reprochera de trop aimer l'argent.

Enfin, dernière question, que faire connaître à votre supérieur hiérarchique de ce que vous savez de lui? Ce que vous connaissez de votre supérieur hiérarchique est pour vous un moyen d'emprise sur lui, que vous avez intérêt à ne pas divulguer. En effet, une information dont les autres ignorent que vous la possédez est une information dont la valeur est multipliée. Ceci étant, il est également bon de montrer que vous n'êtes pas entièrement dupe de certains comportements de votre supérieur qui ont pour objet de dissimuler certaines de ses déficiences. Il faut donc arbitrer soigneusement et ne faire état de ces informations que lorsque cela apparaît comme vraiment nécessaire.

7/ La gestion du langage

Toute une école de pensée, à l'origine de la sémantique générale[1], s'est livrée à une critique des abus du langage. Le langage, en effet, est le support et le voile d'une bonne partie des erreurs de pensées. Et il est vrai que la plupart des discours que nous entendons n'ont littéralement aucun sens dès lors qu'on leur fait subir l'épreuve de la moindre logique.

Cette mauvaise utilisation du langage est, le plus souvent, inconsciente (il est vrai que certains individus ont un inconscient qui mène au mieux leurs intérêts). Mais il est particulièrement intéressant de connaître les mécanismes en cause afin de ne pas en être dupe quand les autres les utilisent.

Les signifiants dominants

Chaque système social est fondé sur un ensemble de valeurs qui s'incarnent dans des signifiants, le plus souvent uniquement verbaux. C'est ainsi qu'après la guerre de 1945, la paix était un signifiant dominant car elle incarnait une valeur qui paraissait à tous fondamentale, juste après une guerre épouvantable. Tout le monde était pour la paix, du parti commu-

---

1. Cf. S. T. HAYAKAWA, *Language in thought and action,* N. Y., Harcourt Brace World, 1964.

niste à l'église catholique, et tout le monde incorporait le mot paix dans ses sigles, slogans et discours.

Cela pouvait aller jusqu'à des choses assez comiques, car je me souviens du sermon d'un brave curé sur le thème : Pais mes agneaux, pais mes brebis, où il confondait allègrement l'impératif du verbe paître qui figure dans le texte évangélique : Pais mes agneaux, avec le mot paix. Il n'y voyait sans doute pas malice. Sancta simplicitas !

Ces signifiants dominants sont plus ou moins établis. Le profit est un signifiant dominant dans l'entreprise capitaliste depuis longtemps et pour longtemps encore. L'homme, l'humain, le social, sont également des valeurs sûres. Les signifiants dominants peuvent se combiner aisément, même si pris isolément ils sont plus ou moins contradictoires. Dans la réalité, il n'est pas toujours facile de combiner le souci du profit et le souci de l'humain. Dans les mots, ces contradictions disparaissent. « Le profit par l'humain » ou « l'humain par le profit » sont des slogans à peu près vides de sens. Mais cela n'a pas grande importance, car combinant deux signifiants dominants, ils sont incontestables.

Ces signifiants dominants étant incontestables, ils rendent donc incontestables les marchandises qu'ils recouvrent. C'est dire qu'ils peuvent servir à tout et à n'importe quoi. La règle fondamentale est donc qu'il faut s'en servir le premier. A partir du moment où, dans une occasion donnée, quelqu'un aura lié les mots profit ou humain à une opération qui lui est profitable, personne ne pourra plus, sans apparente mauvaise foi (même s'il a raison) s'en servir pour justifier le contraire. La rapidité est donc primordiale dans ce domaine.

Par ailleurs, ces signifiants sont, pour une part, propres à chaque organisation, à chaque groupe social. Il est donc nécessaire, cas par cas, de constituer la liste des signifiants qui sont dominants à un moment donné, et dans une organisation donnée.

Comment utiliser ces signifiants dominants ?

L'opposition simple

Opposer l'action au rêve, le changement à l'immobilisme, le développement à la stagnation, ne présente pas grand risque puisqu'on ne fait qu'affirmer une valeur positive face à une valeur négative. C'est aussi un peu trop facile et d'impact assez faible. Mais il ne faut pas le négliger, ne serait-ce que pour éviter que les autres ne l'utilisent à leur avantage.

La combinaison des opposés

Elle joue sur le fait que le public auquel on s'adresse a des motivations partagées, sinon contradictoires, et qu'il est utile de flatter les deux en même temps. Quand, dans « Le soulier de satin », Paul Claudel fait réclamer à un de ses personnages « un changement qui ressemble exactement à l'ancien » il ne fait que forcer des expressions du type « La continuité dans le changement » ou « le centralisme démocratique » qui, littéralement, ne veulent pas dire grand'chose, mais qui expriment admirablement l'ambivalence du public auquel elles s'adressent.

Le positif sans l'excessif

Le risque est positif, l'aventure est condamnable. Il faut donc prôner le risque sans l'aventure, le changement sans le bouleversement, l'avenir sans le futurisme, etc.

La tautologie

Elle n'est guère utilisable qu'à partir d'un certain niveau hiérarchique. Quand De Gaulle s'écriait : « La France c'est la France », beaucoup s'extasiaient. Quand le comique troupier J. Champin, dans les années trente, lançait la même phrase, il ne faisait que déclencher des rires. La tautologie doit donc être utilisée avec précaution et avec des auditeurs peu critiques :

— soit que les individus auxquels on s'adresse soient naturellement peu critiques,
— soit que la situation ait émoussé leur sens critique.

Ceci étant, la tautologie a un avantage considérable : elle est absolument incontestable. Elle peut donc envelopper les marchandises les plus diverses en leur prêtant ce caractère incontestable.

Les manipulations logiques

Être parfaitement logique est une chose extrêmement difficile. La plupart des « raisonnements » ne peuvent être transcrits en ordinogramme : leur illogisme apparaît immédiatement. Mais très peu d'individus sont capables d'apercevoir rapidement une erreur de raisonnement. Pour faciliter leur repérage, voici un catalogue des erreurs les plus classiques et les plus fréquentes.

L'exemple comme preuve

Il est assez évident qu'un exemple ne prouve rien, car un contre-exemple peut presque toujours être trouvé. Un exemple n'est qu'une illustration. Ceci n'empêche pas d'utiliser l'exemple comme si c'était une preuve, La méthode la plus utilisée consiste à dire : de même que (et on développe son exemple), de même (et on avance ce que l'on soutient) généralement on choisit un exemple entraînant sur le plan affectif, car l'affectivité tendra à occulter l'intelligence.

L'utilisation des conjonctions

Certaines conjonctions, utilisées dans les raisonnements, peuvent bien sûr être utilisées en dehors de tout raisonnement réel. C'est le cas de « donc », qui normalement conclut un syllogisme. Par exemple : tous les hommes sont frères, or tous les hommes sont égaux, donc tous les frères sont égaux. Si l'on termine une série de propositions, même tout à fait indépendantes par *donc*, on donnera l'impression d'avoir conduit un véritable raisonnement.

La preuve à côté

Un moyen efficace de prouver quelque chose de difficile à prouver, est de prouver quelque chose qui soit à côté de la question, mais qui est beaucoup plus facile à prouver. Il faut évidemment que les deux points soient connexes. C'est ainsi qu'il est peu de miracles prouvés, tout au moins sur le plan physique. En revanche, on a d'innombrables exemples de miracles « moraux », ce qui est bien normal, car dans ce domaine, il n'y a pas de science. Plutôt que de s'évertuer à démontrer un miracle physique, on « démontrera » des miracles moraux, comme si ces deux sortes de miracles rentraient dans la même catégorie.

Tenir pour démontré ce qui est justement à démontrer

C'est un procédé classique qui peut aller du plus simple au plus sophistiqué. Un premier moyen consiste à tenir pour acquis, pour existant, ce qui n'est qu'une définition. Dire : « La sirène est une femme dont le corps se termine en poisson », ne dit rien sur l'existence ou l'inexistence de cet animal fabuleux. Mais on peut très bien oublier ce point et raisonner sur la sirène comme si elle existait. Au bout d'un certain temps, personne ne pense plus rappeler la question de l'existence ou de l'inexistence de ce qui est en cause.

Un second moyen consiste à mettre la conclusion dans les prémisses. C'est ce que font les « preuves » de l'existence de Dieu. Dire par exemple : « J'ai l'idée de la perfection ; or, un des éléments de la perfection est l'existence, donc la perfection existe », n'est qu'un habile tour de prestidigitation. Mais qui ne se laisse prendre aux tours des illusionnistes ?

Généraliser abusivement

« Une hirondelle ne fait pas le printemps », dit-on fort justement, et les conditions de généralisation à partir de certains faits, obéissent à des contraintes statistiques fort restrictives. Considérons les courbes suivantes :

La conclusion est que la tendance est à l'augmentation.

La conclusion est qu'il y a un accident, mais que la tendance est à l'augmentation.

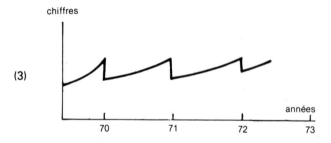

La conclusion est qu'il y a répétition.

Dans le cas 1, la conclusion généralement tirée est qu'on va vers une augmentation indéfinie. Dans le cas 2, qu'il y a un accident historique, tout à fait unique. Évidemment, le cas 3 infirme ce qui a été dit précédemment. Les deux premières conclusions ne sont que des généralisations abusives. Mais on peut en abuser.

Prendre les effets pour la cause

Rien n'est plus difficile que la détermination correcte de la causalité, car la plupart des phénomènes sont interactifs. Cependant, dans les sciences physiques ou chimiques, le problème ne se pose plus guère, alors que dans tout ce qui est humain, les choses paraissent beaucoup moins claires et elles le sont réellement. Le plus souvent, les ouvriers disent être en grève parce que les patrons ne veulent pas négocier, et les patrons disent qu'ils ne veulent pas négocier parce que les ouvriers sont en grève. Chacun suivant ses opinions choisira la causalité qui lui convient. Ceci peut évidemment être systématisé. Votre supérieur hiérarchique aura tendance à estimer que votre comportement est la cause de ce qui se passe dans votre service (surtout si c'est négatif) et vous penserez vous, que votre comportement n'est que l'effet de ce qui se passe et sur lequel vous n'avez pas prise. Dans ces cas, il est particulièrement important de partir le premier et d'énoncer la relation de causalité dans le sens qui vous est favorable. Cela rendra plus difficile à autrui de renverser cette relation.

L'argument d'autorité

Les sondeurs d'opinion ont remarqué depuis longtemps que la forme des questions influe beaucoup sur les réponses obtenues, et il est difficile de construire des questions neutres. Un

biais important est l'argument d'autorité. Si l'on demande :
« Préférez-vous A ou B ? », les individus interrogés répondent,
par exemple, à 50 % pour A et à 50 % pour B. Mais si la question est : « Est-ce que comme Napoléon vous préférez A à
B ? », on est à peu près sûr d'argumenter la préférence pour A à
55 ou même 60 %. Il est donc particulièrement utile de proposer ses préférences comme étant déjà les préférences de
quelqu'un qui fait autorité. Et qui peut prouver ensuite que un
tel n'a pas dit ceci ou cela ?

Les fausses questions et les faux problèmes

Nous citions précédemment la devinette : « Le roi des singes
est-il roi ou est-il singe ? » Voilà une très bonne fausse question, car elle découpe en deux une expression : le roi des singes,
qui n'en fait qu'une. C'est ce découpage absurde qui permet de
poser la question, car si l'on pose « le roi » d'un côté, on peut le
comparer à d'autres rois, tels que le roi de France. En revanche, les totalités « roi des singes » et « roi de France » ne se prê-
tent plus guère à des comparaisons, car l'absurde en apparaît
vite.

Une bonne partie de la philosophie et les 4/5 des discussions
reposent sur de telles fausses questions. Ce qui les rend embê-
tantes, c'est qu'il n'est pas toujours facile de démontrer sur le
plan logique et de convaincre autrui, sur le plan affectif, que ce
sont de fausses questions. Le plus simple est encore de leur
opposer d'autres fausses questions (avantageuses). C'est dommage pour la clarté des débats. Mais, comme le dit une autre
devinette : « Qui veut se battre avec la lune, doit-il attendre
qu'elle ait disparu ? »

L'emploi d'un langage ésotérique

L'idéal serait de disposer d'un langage incompréhensible
pour les autres services et votre supérieur lui-même. Cet idéal
n'est réalisé que dans de rares cas (informatique, par exemple),
mais c'est un idéal vers lequel il faut tendre. En fonction de
votre spécialité, vous devez donc enrichir votre vocabulaire de
mots difficilement compréhensibles : techniques, étrangers,
argotiques... Vous devez évidemment veiller à ce que ce vocabulaire soit incontestable, c'est-à-dire tiré d'une culture dominante (les vocables américains ont été utilisés à une certaine
époque, car les USA paraissaient en avance sur nous), ou d'une
science dominante (les mathématiques sont irremplaçables à

cet égard). Les références doivent être choisies avec soin, de façon à ce qu'elles soient à la fois incontestables et incompréhensibles dans votre milieu. Elles doivent être incontestables, car sinon on vous accuserait de jargonner ; et incompréhensibles, sinon vous n'en tireriez aucun avantage.

Le mot dans son acception pleine et vraie

La plupart des sectes, qu'elles soient religieuses, culturelles ou politiques distinguent soigneusement pour le même mot, l'acception de l'adversaire de la leur propre. On parlera par exemple de vie vraie, ou de socialisme authentique par opposition sous-entendue à la vie frelatée et au socialisme dégénéré des autres.

Dans un certain nombre de cas, ceci est marqué par une majuscule : la Vérité opposée à la vérité ; par le singulier au lieu du pluriel : Dieu opposé aux dieux ; par l'adjonction d'un adjectif authentifiant : la vraie foi ; ou simplement par une différence d'accentuation dans la prononciation (les membres du gouvernement sous Giscard parlaient tous en copiant la prononciation très particulière, entre autres au niveau des césures, du chef de l'État).

Il est bon d'émailler sa conversation de tels mots, en précisant à chaque fois la plénitude de sens que l'on donne à ce mot. Cela permet à la fois de dire la même chose que les autres (ce qu'ils apprécient) et de s'en démarquer subtilement (ce qui donne du pouvoir).

8/ La gestion des réunions

« On ne se lave pas le visage avec un seul doigt. »

(Proverbe congolais)

Les réunions

Plusieurs raisons font que les réunions sont un des moments importants de la gestion de votre supérieur hiérarchique. Les réunions sont en effet devenues nécessaires à la vie des entreprises. Les entreprises sont devenues très complexes et de plus en plus centralisées. Malgré quelques efforts apparents de décentralisation, elles ont à faire face à d'innombrables problèmes de communications, tant verticales (hiérarchiques) que latérales (entre services). Par ailleurs, chacun connaît la faible efficacité des réunions : temps perdu, décisions non prises ou prises à la va-vite, etc. Dans beaucoup d'entreprises, les réunions sont de véritables caricatures et sont la cible favorite des moqueries, plus ou moins amères, des cadres.

Une des conséquences de cet état de fait (et une de ses causes) est que personne ne prend la peine de préparer ces réunions et de veiller à leur bon déroulement. Un faible effort dans ce domaine peut donc vous mettre en position de supériorité par rapport aux autres, en augmentant l'efficacité, à votre profit.

En effet, pour diverses raisons, fort complexes et que nous n'énumèrerons pas, les réunions sont le lieu de ce que les psychologues appellent des « régressions ». Ils estiment que les groupes, comme les individus, face à des situations difficiles, tendent à régresser de positions adultes (capacité d'innovation, de réflexion, de communication, de décision) vers des positions infantiles caractérisées par la répétition inconsciente de comportements liés aux expériences de l'enfance. Ces régressions sont évidemment l'occasion de manipulations nombreuses[1].

Par ailleurs les réunions sont un des lieux où se masquent et se démasquent les conflits. Se masquent, parce qu'en public, les conflits qui sont, par ailleurs, bien connus de tous, sont obligés d'emprunter des biais pour se manifester. Comme ces conflits sont masqués, on peut prendre parti pour tel ou tel, sans complètement se dévoiler : on peut toujours prétendre par la suite qu'on n'a pas compris ce qui était réellement en jeu. Se démasquent, parce que certaines décisions communes (ou tout au moins les prises de position vis-à-vis des décisions à prendre) obligent les individus à dévoiler en partie ce qu'ils pensent. Ces conflits offrent également des possibilités de manipulation à plusieurs niveaux.

Pour gérer efficacement une réunion nous avons dit qu'il était possible d'en améliorer l'efficacité. Pour cela il est nécessaire de connaître les règles qui président au bon déroulement d'une réunion.

La préparation des réunions

Bien que peu d'individus prennent la peine de préparer les réunions qu'ils animent et encore moins celle à laquelle ils participent, il n'est peut-être pas mauvais de souligner cette première règle : une réunion doit se préparer soigneusement.

Commençons par la préparation psychologique personnelle. Il faut abandonner le sentiment habituel d'agacement que l'on a devant une réunion, une de plus, inefficace comme toutes les autres. Il faut, au contraire, l'envisager comme un épisode utile qui permettra d'atteindre un certain nombre d'objectifs.

Il faut ensuite préparer réellement la réunion : lire les papiers qui vous ont été envoyés, recenser les problèmes qui se posent, réfléchir à des solutions, etc. Cette préparation permettra de fonder vos interventions sur des éléments solides, sinon incontestables.

---

1. Cf. M. PAGES, *La vie affective des groupes,* Dunod, Paris, 1975, 2ᵉ éd.

Il faut enfin préparer votre réunion. Il faut vous interroger systématiquement sur l'objectif que vous vous fixez pour cette réunion, qui doit être un sous-objectif cohérent avec vos objectifs globaux dans l'organisation. Les spécialistes de la question insistent à juste titre sur la difficulté qu'il y a à se fixer un objectif, et ceci pour plusieurs raisons. Un objectif doit d'abord être réaliste, c'est-à-dire qu'il ne doit pas être utopique. Un objectif doit être cohérent avec vos désirs profonds, et rien n'est plus difficile, disent les psychanalystes, que d'être clair sur ses désirs réels. Un objectif suppose un choix, c'est-à-dire qu'il est exclusif par rapport à d'autres objectifs tout aussi intéressants, et rien n'est plus désagréable que d'être obligé de choisir entre des choses également souhaitables.

Pour atteindre ce objectif, il vous faut élaborer une stratégie *a priori,* que les événements de la réunion remettront évidemment en cause, en partie. Il faut donc également prévoir des stratégies de rechange, et entre autres, de repli.

Cette stratégie doit être fonction de l'analyse que vous pouvez faire des individus qui vont assister à la réunion, et de leurs relations. Cette analyse doit donc être d'abord une analyse psychologique des individus qui vont assister à la réunion. Il n'est pas question de faire une analyse fouillée et complète. Si les individus sont des organismes extrêmement complexes et passablement imprévisibles, cela n'est vrai que pour une partie d'eux-mêmes. Pour une autre partie, plus ou moins importante, ils sont, heureusement pour nous, assez parfaitement prévisibles. Cette partie concerne tout ce qui, chez eux, relève de la répétition, elle-même mise en œuvre par des mécanismes inconscients. Il n'est pas question de découvrir ces mécanismes, que les spécialistes eux-mêmes mettraient des mois à mettre à jour, mais de répertorier, pour chaque individu concerné, ces répétitions. Sous une forme très simplifiée, il faut découvrir pour chaque individu concerné, les chiffons rouges qui, quasi automatiquement le font foncer sans même qu'il s'en aperçoive.

Vous pouvez également élaborer une analyse sociologique du groupe que formeront les participants à la réunion.

Vous pouvez tenter de construire ce que les spécialistes appellent un sociogramme du groupe qui assistera à la réunion. Il consiste en un schéma visualisant les attirances et les rejets qui sont émis par les individus à propos d'un sujet donné. Par exemple, pour partir en vacances, « A » choisira « D » et rejettera « C ». « B » choisira « D », etc.

Voici un résultat possible :

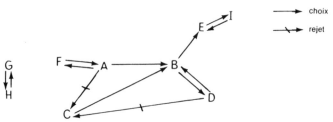

Ce schéma très simple illustre les principales figures possibles. G et H qui se choisissent mutuellement à l'exclusion d'autres personnes forment donc une clique. « B » choisi par 3 personnes est un leader. « C » est un rejeté. « E », choisi par le seul leader est une éminence grise.

Il y a ici deux façons de toucher « B », qui est le leader du groupe, soit par « E », soit par « D ». « E » est peut-être la voie la plus intéressante, car il est indépendant de « B ». A la limite, pour influencer « B », il suffira d'influencer « I » qui influencera « E », qui influencera « B ».

Une telle analyse, faite par écrit permet donc d'avoir une stratégie d'influence claire. N'oublions pas cependant que de tels schémas de relations sont variables suivant les problèmes traités. Des relations et des alliances nouvelles se dessineront suivant les intérêts mis en cause. Ces changements, dont la plupart des individus ne sont pas très conscients, sont relativement visqueux, en ce sens qu'ils s'effectuent souvent avec un temps de retard. On pourra donc profiter d'une alliance favorable faite à un moment donné sur un sujet donné, en l'utilisant sur un autre sujet. A l'inverse, on pourra casser une alliance défavorable en mettant sur le tapis un sujet sur lequel les alliés ne sont pas d'accord.

Vous allez probablement remarquer que vous faites plus ou moins cela à longueur de journée ; certainement. Mais il est probable que vous le faites implicitement et avec une systématisation insuffisante. Vous serez probablement étonné de constater, en étant systématique, de la quantité d'informations dont vous disposez et que vous n'utilisez pas, et de la quantité d'informations qui vous manque et qui vous serait utile, et qu'il vous faudra donc rechercher.

Ensuite, vous pouvez faire une analyse des intérêts et des conflits. Le sociogramme ci-dessus doit en effet être déterminé pour un objet donné. Il vous montre sur un tel thème (problème, décision), *les clivages* et les alliances possibles, et donc les majorités possibles.

Il vous permet également de déterminer les éléments de négociation possibles, c'est-à-dire ce qui peut être donné ou échangé pour réunir une majorité sur un point donné.

Ces clivages et ces alliances sont surdéterminés, c'est-à-dire qu'ils sont déterminés par plusieurs facteurs à la fois : affinités de caractère ou de formation (maffias des Grandes Écoles, par exemple), inclinations politiques, appartenance à tel ou tel service, etc. Cependant, les causes les plus fondamentales et les plus permanentes, tiennent aux intérêts (plus ou moins bien compris d'ailleurs) des individus en présence.

Les intérêts mal compris sont souvent les plus forts, justement parce qu'ils sont mal compris. Ils tiennent souvent à l'aspect le plus névrotique de la personnalité de l'individu en cause. Leurs raisons sont donc inconscientes, et les individus sont extrêmement défensifs dès qu'on y touche. Il est donc très difficile d'élaborer des compromis à ce propos : les intérêts mal compris ne sont pas négociables.

Enfin, vous pouvez faire une analyse en terme de relations de force. Il va de soi qu'une majorité arithmétique d'individus qui n'ont aucun poids n'emportera pas la décision. Votre schéma doit donc être complété par des indications sur les poids respectifs des individus concernés, sur les rapports de force entre eux. Ces rapports peuvent se décomposer en plusieurs ordres. Le premier est le rapport hiérarchique. Dans la plupart des cas, la hiérarchie c'est le pouvoir : c'est le chef qui décide et parfois envers et contre tout. Mais il est rare que ce rapport soit strictement unilatéral, ne serait-ce que parce que prendre une décision est une chose, la faire appliquer en est une autre. La plupart des responsables le sentent bien et ne prennent que des décisions qu'ils ont le pouvoir de faire appliquer. Or, l'application, qui s'étend dans le temps et dans l'espace, et qui met en jeu nombre d'individus, échappe beaucoup plus au responsable : la mauvaise volonté des subordonnés est une borne quasi infranchissable.

Ceci étant, la plupart des responsables se laissent enivrer par la liberté de la décision, et s'imaginent qu'une décision prise est une décision appliquée. Or, s'il est difficile de contrer un responsable au niveau de la décision qui lui appartient (ou qu'il croit lui appartenir) au niveau de l'application, les subordonnés reprennent une bonne part de leur pouvoir. Les rapports de force doivent donc être appréciés dans le temps.

Ces préparatifs étant terminés, il faut élaborer une stratégie.

Élaborer une stratégie dans ses éléments les plus simples, consiste à prévoir les actions d'autrui, les réponses que l'on va y apporter, les réponses à ces réponses, et ainsi de suite. Il est clair que très vite, le nombre d'hypothèse est tel que seul un ordinateur pourrait s'y retrouver. Il faut donc s'en tenir à quelques événements de forte probabilité.

Contentons-nous de trois éléments : mon action, sa réponse, ma réponse à sa réponse.

Le point le plus important à souligner est qu'aucune action ne doit être entreprise sans avoir prévu quelle réponse peut y être apportée par autrui et quelle réponse on pourra faire à cette réponse.

La réponse d'autrui peut être de trois ordres :
— nulle : l'autre ne réagit pas,
— sur le même terrain : par exemple refus d'une demande,
— sur un autre terrain.

C'est la troisième possibilité qui offre le plus de difficultés, car cet autre terrain peut être extrêmement divers. Cependant la plupart des individus affectionnent certains terrains. Si on les connaît un peu, on peut donc prévoir une bonne partie de leurs réactions.

Le déroulement de la réunion

> « On ne joue pas en assistant à un jeu. »
> (Proverbe baoulé)

Pour tirer parti de toutes les possibilités qu'offre une réunion, il est bon d'en connaître les points-clés et les difficultés qui peuvent surgir pour l'animateur.

Nous commencerons donc par indiquer en quoi devrait constituer le déroulement normal d'une « bonne » réunion, c'est-à-dire qui soit efficace dans son résultat et laisse en même temps les participants sur une bonne impression.

Premier point : une réunion doit commencer par la fixation de l'objectif par l'ensemble des participants, ou sa communication par celui qui l'a fixé à l'ensemble des participants. Une bonne réunion doit se fixer un objectif clair, précis et atteignable. Le plus souvent, l'animateur ne se donne pas la peine de bien préciser son objectif et il en poursuit plusieurs qui sont parfois contradictoires. Ou bien, s'il s'est fixé un objectif, il ne se donne pas la peine de le clarifier pour les participants ou de les convaincre de son importance.

Deuxième point : les procédures. Si l'on excepte les réunions qui sont uniquement consacrées à une information des participants par l'animateur, une réunion comportera au moins des échanges d'informations, des discussions, une ou plusieurs décisions. Pour chacun de ces points, il est nécessaire de prévoir les procédures, c'est-à-dire « comment » les choses vont se dérouler. Une fois fixées, les procédures s'imposent à tous (même à l'animateur en principe). Elles facilitent le déroulement de la réunion et servent de garde-fou (par exemple, contre les manipulations conscientes ou inconscientes).

Troisième point : la discussion. Elle doit être un véritable échange d'informations, de points de vues, de valeurs, et non des séries de monologues qui se juxtaposent et que personne n'écoute, sauf si cela apporte de l'eau à son moulin. Cela suppose que les participants sachent s'écouter les uns les autres, et que l'animateur désire un véritable échange, ce qui est toujours rare.

Quatrième point : la plupart des réunions se terminent ou devraient se terminer par une ou des décisions. Le plus souvent, l'animateur a déjà pris sa décision, mais à moins qu'il n'ait convoqué la réunion pour l'annoncer et l'imposer (ce qui est assez rare) il doit au moins la « vendre », c'est-à-dire convaincre les participants de sa justesse. Le plus souvent, les réunions se terminent sans que des décisions aient été prises, qui soient à la fois claires et acceptées. Mais une décision n'a de sens que si elle est accompagnée des moyens de sa mise en œuvre. Or beaucoup de réunions se terminent sans que les décisions prises soient accompagnées de modalités d'application. Il va de soi, qu'elles ont aussi peu de chances d'être appliquées réellement.

Malheureusement, ce déroulement logique et harmonieux, est, nous l'avons dit, assez rare. Le déroulement habituel est généralement l'inverse de ce que devrait être le déroulement normal, c'est-à-dire que généralement, la plupart des réunions :

— n'ont pas d'objectif clair ;
— ne prévoient pas de procédures ;
— ne savent pas utiliser l'information ;
— ne prévoient pas les modalités d'application des décisions éventuellement prises.

Mais ceci n'est peut-être pas le plus important.

En effet, pour des raisons fort complexes et sur lesquelles les théoriciens ne sont pas tout à fait d'accord, l'affectivité des participants a une influence considérable sur le déroulement des réunions. L'affectivité mise en jeu n'est d'ailleurs pas seulement individuelle ; on peut également parler d'une affectivité de groupe, c'est-à-dire de sentiments éprouvés à un moment donné par l'ensemble des participants et souvent de façon inconsciente. Cette influence de l'affectivité complique encore le déroulement habituel des réunions, et c'est ce qui explique que même avec des participants intelligents, logiques, compétents, la plupart des réunions se déroulent si mal.

Il est tout à fait normal que cette affectivité soit présente, car les individus qui composent la réunion y assistent avec leur affectivité, mais deux raisons au moins rendent la gestion de cette affectivité difficile.

La première raison, c'est que dans notre culture européenne, mais surtout française, l'affectivité est niée au profit de l'intellectuel. Il serait de très mauvais ton d'avouer ses sentiments. Les sentiments inavoués se manifestent cependant, mais se manifestent par des désaccords sur le plan intellectuel. Il y a donc glissement d'un plan à un autre.

La seconde raison est qu'un bon animateur de réunions devrait être capable de gérer aussi bien les aspects affectifs que les aspects intellectuels des interactions entre les individus qui assistent à la réunion ; ce n'est généralement pas le cas. A défaut de cette gestion, l'affectivité infiltre (et souvent empoisonne) tout le fonctionnement intellectuel.

La maîtrise du déroulement des réunions appartient donc aux individus qui en connaissent les principes intellectuels et affectifs.

Deux possibilités sont alors offertes : tenter d'améliorer le fonctionnement ou profiter du mauvais fonctionnement ; tout dépend, évidemment, de l'objectif personnel que l'on s'est fixé.

Il n'est pas toujours facile d'améliorer le fonctionnement parce que toutes les lourdeurs et beaucoup d'intérêts (et particulièrement, l'intérêt souvent fort mal compris de l'animateur) vont dans le sens du mauvais fonctionnement. Améliorer le fonctionnement, c'est tenter de suivre le schéma que nous avons indiqué précédemment : Objectif — procédures — discussion — décision — mise en œuvre. L'outil idéal pour améliorer le fonctionnement est de faire fixer puis respecter des procédures. Ce n'est pas toujours facile si le groupe n'en a pas l'habitude, car il verra tout le temps passé à fixer ces procédures comme du temps perdu et voudra rentrer immédiatement dans le vif du sujet (même si ce sujet n'est pas très clair). Cependant, faire respecter les procédures apparaîtra toujours comme une position objective, et donc comme une contribution positive.

On peut aussi profiter du mauvais fonctionnement car la plupart des réunions ont un fonctionnement circulaire, proche du cercle vicieux : l'objectif étant mal défini, la prise de décision est impossible, ce qui fait qu'on remet en cause l'objectif : la décision étant peu claire, les moyens d'application sont difficiles à définir, ce qui fait qu'on remet en cause la décision, puis l'objectif, etc.

Tout ceci se fait si peu clairement et avec si peu de conscience de la part des participants qu'il n'est pas très difficile d'appuyer ce mouvement ou même de le déclencher. On ne fera d'ailleurs, le plus souvent, que répondre ainsi à une demande implicite de nombre des participants.

9/ La gestion
des entretiens

L'entretien est le moment le plus délicat de votre relation avec votre supérieur. Pour une raison ou pour une autre, celui-ci vous a convoqué dans son bureau, ou vous lui avez demandé un entretien, et pour quelques minutes ou pour une heure, vous n'allez pouvoir compter que sur vos propres forces.

Nous examinerons successivement le cas où vous avez demandé l'entretien, celui où vous êtes convoqué, puis deux entretiens plus rares mais particulièrement importants : l'entretien de recrutement et l'entretien d'évaluation.

Vous avez demandé l'entretien

« Pour une passoire, ce n'est pas un défaut d'avoir des trous. »

(Proverbe libanais)

Puisque vous l'avez demandé, il est entièrement à votre charge et ses résultats dépendent essentiellement de vous. Il faut donc le préparer soigneusement.

La première chose à préparer, c'est de savoir si cet entretien est vraiment nécessaire, et donc de déterminer quel est votre objectif, l'importance de cet objectif pour vous, et également son importance pour votre supérieur.

Commençons par ce dernier point. Si l'objectif que vous voulez atteindre (une information, un conseil, une décision) est important pour vous, mais risque d'apparaître secondaire ou importun à votre supérieur, peut-être vaut-il mieux différer cette demande d'entretien. S'il est secondaire, attendez une autre occasion où vous pourrez le traiter ou le faire traiter avec d'autres points. S'il est importun, c'est à vous de décider si ce point est si important pour vous qu'il faille importuner votre supérieur. Faites bien la balance des avantages et désavantages.

Admettons que votre objectif est important pour vous et n'est pas importun pour votre supérieur, il faut maintenant le définir avec précision. Il serait de mauvais effet que ce soit votre supérieur qui soit amené à vous demander cette précision. Il serait également dommageable que votre supérieur profite du flou de votre objectif pour vous donner une réponse également floue. Vous devez donc vous demander (et si vous êtes courageux avec un papier et un crayon) ce qui est en cause pour vous et pourquoi cela est en cause. Après tout, vous pouvez peut-être donner vous-même certaines des réponses que vous voulez demander à votre supérieur. Vous pourrez donc peut-être éliminer certaines demandes d'entretien. Ne les éliminez pas toutes, cependant, car il est bon de rappeler de temps en temps à votre supérieur que vous existez, et puis il est bon, de temps en temps, de faire des visites de politesse.

Par ailleurs, dans certains cas, l'objectif réel de l'entretien peut n'être pas l'objectif officiel. Vous pouvez, par exemple, vous fixer comme objectif de savoir ce que votre supérieur pense de vous sur tel ou tel plan, ou à propos de telle opération, mais il serait peut-être imprudent de l'avouer. Vous devez donc créer un prétexte plausible à l'entretien et, évidemment, par plausible il faut entendre ce qui est plausible pour votre supérieur ; autrement dit, quelque chose qui entre dans ses préoccupations à lui beaucoup plus que dans les vôtres.

La deuxième chose à préparer, c'est l'entretien sur le plan technique. Vous devez prévoir les sujets qui peuvent être abordés, les questions qui peuvent vous êtres posées, de façon à avoir un dossier solide avec le moins de failles possibles.

Ceci étant, comme vous êtes le subordonné, vous pouvez avoir des failles, je dirai même, vous devez avoir des failles, de façon à ne pas apparaître comme menaçant pour votre supérieur, par votre supériorité technique. Mais ces failles, vous devez les avoir choisies et ce choix doit se faire selon un certain nombre de paramètres.

D'abord, ces failles ne doivent pas apparaître dans votre domaine propre de compétence technique, dans lequel vous devez être inattaquable, et qui doit même être un maquis impénétrable pour votre supérieur. Il doit vous y faire confiance totalement, et d'autant plus qu'il lui apparaît impossible de s'y retrouver. Mais elles peuvent et doivent apparaître dans le domaine de compétence technique de votre supérieur, de façon à ce qu'il garde sa supériorité.

Enfin, elles doivent aussi apparaître dans un autre domaine de compétence de votre supérieur : tout ce qui est la gestion des hommes, domaine important de sa justification en tant que supérieur. Dans ce domaine, vous ne devez pas démontrer une trop grande incompétence, mais vous pouvez demander conseil.

L'entretien étant préparé, que peut-on dire de son déroulement ?

Ce qui va le rendre difficile, c'est qu'il serait souhaitable de faire deux choses à la fois, quelque peu contradictoires : atteindre votre objectif et faire preuve de souplesse.

Atteindre votre objectif, cela va de soi puisque vous avez demandé l'entretien pour cela. Pour atteindre cet objectif, il sera donc nécessaire :

— d'exposer clairement l'objet de l'entretien, son importance, et donc les conséquences qui découleraient du fait que vous n'avez pas obtenu ce que vous souhaitez : une information, un choix, une décision ;

— de ramener constamment à votre sujet, car naturellement votre interlocuteur digressera, pensant plus à ses problèmes qu'aux vôtres, ou bien gêné par votre demande, il tentera de l'esquiver ;

— de maintenir une certaine pression sur votre supérieur pour qu'il accède à votre demande ;

— de faire preuve de souplesse, car votre supérieur n'a pas la même vision que vous et il est votre supérieur. Il serait donc inopportun de le couper brutalement, de ne pas l'écouter (et de le montrer) lorsqu'il digresse, etc. Il s'agit très exactement de louvoyer, c'est-à-dire d'atteindre un but, même si les vents ne sont pas naturellement favorables.

Vous n'avez pas demandé l'entretien, mais vous êtes convoqué

« Selon le vent, la voile. »
(Proverbe français)

La préparation est rendue difficile, par le fait que votre supérieur ne s'est peut-être pas donné la peine de vous indiquer l'objet de cet entretien ou bien l'objet indiqué n'est pas l'objet réel, ou même votre supérieur sera incapable de s'en tenir à l'objet fixé.

Le premier point consiste donc à tenter de deviner ce dont il va être question. Attention, ne culpabilisez pas *a priori*. Peut-être votre supérieur n'est-il pas au courant ou trouve-t-il secondaire la petite erreur que vous avez commise la semaine dernière. Ne pensez donc pas qu'à cela : vous auriez l'air coupable, cela se verrait, et votre supérieur en profiterait pour enfoncer le clou.

Ceci étant, il est quand même bon de prévoir les problèmes qui pourraient être soulevés, de façon à avoir, sinon une défense toute prête, du moins des informations qui montrent que vous connaissez vos dossiers et que si erreur il y a, elle n'est pas due à votre négligence.

Quant au déroulement, ce qui le rend difficile, c'est son imprévisibilité. Une série d'objectifs va surgir très rapidement : se défendre, se justifier, obtenir une information, peser sur une décision en train de se prendre, etc. Et comme il va être très difficile de faire tout cela, il va falloir choisir et ne vous battre que sur les points clés.

Concédez donc quelques points. D'une part, parce qu'il n'est pas possible de gagner sur tous les tableaux. D'autre part, parce que des concessions opportunes donnent une apparence de négociation à l'entretien, et mettront également votre interlocuteur dans une position de concessions.

Et puis, souvenez-vous des examinateurs qui parlent à la place du candidat durant tout l'examen. Généralement, ils se mettent une bonne note.

Les bénéfices secondaires de l'entretien

Quel que soit l'entretien, demande ou convocation, vous devez poursuivre un objectif plus général que les objectifs à court terme de l'entretien lui-même. Un de ces objectifs est évidemment de mieux vous faire connaître et donc apprécier de votre supérieur hiérarchique. Nous renvoyons sur ce point à ce qui a été dit au chapitre : Information. Un autre objectif, également important, est de mieux connaître votre supérieur hiérarchique.

Quelle que soit la modalité d'interaction que vous avez choisie d'avoir avec lui, ou que les contraintes vous imposent, la connaissance de votre supérieur est fondamentale, nous l'avons déjà dit. Or, dans un entretien, vous pouvez écouter votre supérieur. Mais écouter au sens fort, c'est-à-dire recueillir le maximum d'informations et sans les déformer, c'est-à-dire en tentant de vous mettre à la place de celui qui parle. Ce recueil d'informations peut porter sur les points suivants : le vocabulaire utilisé, les valeurs dominantes et enfin la stratégie.

Le vocabulaire. Très souvent, malgré une uniformité apparente, le vocabulaire utilisé par un individu est très caractéristique de sa personnalité.

Certains emploient un vocabulaire neutre, d'autres un vocabulaire ronflant avec des mots qui « font bien ». Certains emploient un vocabulaire guerrier, d'autres punitif, etc.

Les valeurs dominantes. Au travers des mots employés et du contenu de ce qui est dit, on peut tenter de deviner les valeurs dominantes de celui qui parle, c'est-à-dire ce à quoi il croit très fermement. Ces valeurs jouent un double rôle pour un individu : elles guident son action et donnent du sens, de la saveur à sa vie. Connaître les valeurs de quelqu'un, c'est donc connaître assez largement les comportements qu'il va avoir, les actions qu'il va mener, les points sur lesquels il va se battre, les objets qu'il désire.

Ces valeurs sont très nombreuses : religieuses, politiques, sociales, morales, relationnelles.

Dans ce domaine, il ne faut surtout pas se laisser prendre au piège de ce qui est trop ouvertement proclamé. Lorsque quelqu'un répète trop souvent ou trop fortement qu'il est très attaché à telle valeur, cela a souvent le sens d'une conjuration. C'est à la valeur contraire qu'il est attaché, mais il ne peut l'avouer, ni aux autres, ni à lui-même, et il s'en défend par la négation la plus forte : la proclamation du contraire.

Les objectifs et stratégies. Nous en avons déjà parlé à plusieurs reprises. L'entretien est évidemment un des moments idéaux pour recueillir de l'information à ce sujet.

L'entretien de recrutement

Il est crucial en ce sens qu'il va largement déterminer, si vous êtes recruté, un certain nombre d'éléments qui seront ensuite très stables. Par exemple, votre rémunération de départ qui, quel que soit votre avancement par la suite, restera une base de calcul pour vos rémunérations ultérieures. Mais surtout, cet entretien va créer, chez votre supérieur, une image de vous que vous aurez beaucoup de mal à modifier par la suite. Rien n'est plus stable qu'une image de marque, même si cette dernière est fort éloignée de la réalité. Prenez par exemple, une poignée de boîte de vitesse, et montez-la sur une Mercédès. Les essayeurs la trouveront solide, silencieuse, commode. Montez la même sur une BMW et les essayeurs la trouveront nerveuse. Mais chacun sait qu'un entretien de recrutement est un événement important. Trop peut-être, ce qui rend chacun nerveux et lui enlève une partie de ses moyens.

Comme tout entretien, celui-ci doit se préparer, et d'autant plus soigneusement que vous manquez d'informations et que vous ne pouvez vous appuyer sur une routine.

D'autre part, la plupart des recrutements s'effectuent sur deux bases. La première est technique : connaissances, expériences, diplômes. La seconde est beaucoup plus de l'ordre de la sympathie : affinités, capacité d'entente, adaptativité. Or, entre plusieurs candidats ayant des compétences quasi égales, la décision se fera sur ce plan-là.

Dans la plupart des entreprises, si la plus grande partie de la procédure de recrutement est à la charge de la Direction du Personnel ou d'un Cabinet extérieur, le choix final entre deux ou trois candidats reste au futur supérieur hiérarchique de celui qui est recruté.

Première remarque : ce supérieur n'est pas un spécialiste du recrutement (Au plus, il recrute quelques personnes par an), et il le sait. En même temps, comme la décision lui appartient, et qu'en plus c'est lui qui subira les conséquences, il est bien obligé de jouer au spécialiste.

Ceci a deux conséquences. La première, c'est qu'il est beaucoup moins capable qu'un spécialiste, de vous tendre des pièges, ce qui est un avantage pour vous. La seconde, c'est qu'il est beaucoup moins capable d'interpréter correctement vos paroles et vos comportements, ce qui n'est pas obligatoirement un avantage pour vous.

En fonction de ceci, nous pouvons faire une prédiction, c'est que notre recruteur, puisqu'il n'a pas une grande pratique de l'entretien et du recrutement, va aisément tomber dans le premier travers des gens qui posent des questions : il va mettre les réponses qu'il attend dans les questions qu'il vous pose. Au niveau le plus simple, ceci donne quelque chose du genre : Est-ce que vous n'êtes pas de mon avis en pensant que « A » est plus important que « B » ? Alors qu'une formulation correcte serait : A votre avis, quel est le plus important, A ou B ? Ceci sera une indication précieuse pour vous, si vous êtes attentif, car vous saurez ainsi ce que vous devez répondre.

Ajoutons un détail important : ne donnez pas votre accord tout de go ; vous auriez l'air « suiviste ». Montrez au contraire que c'est après mûre réflexion que vous êtes d'accord, mais que, bien sûr, cela ne vous étonne pas (sous-entendu, entre personnes intelligentes, on s'entend toujours).

Nous pouvons faire une seconde prédiction : en tant que non-spécialiste, votre recruteur ne sait pas se taire. Le silence est une chose absolument insupportable à la plupart des individus, et ils préfèrent le rompre, même si ce sont eux qui ont posé une question, et qu'ils sont en droit d'attendre que l'autre parle. C'est, en fait, une question de rapport de forces : le moins solide parle le premier. Vous pouvez donc utiliser le silence. Il va de soi que vous êtes en position d'infériorité : vous devez répondre aux questions. Mais vous pouvez le faire brièvement. Il y a fort à parier que votre recruteur continuera à votre place.

Faisons une troisième prédiction : comme la plupart des individus, et surtout ceux qui sont « arrivés », votre recruteur adore parler, il adore s'écouter parler, pour l'excellente raison qu'il est persuadé qu'il a des tas de choses intelligentes à dire sur des tas de sujets. Il est donc relativement facile de retourner la situation et de le faire parler à votre place. Il aura ainsi tendance à s'apprécier lui-même, et donc à se donner une bonne appréciation, c'est-à-dire à vous donner une bonne appréciation.

L'entretien d'évaluation

> « Le clou souffre autant que le trou. »
> (Proverbe hollandais)

Dans un certain nombre d'entreprises, où l'on pratique une gestion du personnel « moderne », une fois par an, chaque subordonné a un entretien avec son supérieur, destiné à évaluer ses résultats.

Ces entretiens sont relativement plus faciles que d'autres, puisqu'ils font partie d'une procédure fixée et que l'évaluation portera surtout sur des faits, sur l'atteinte ou non des objectifs que l'on vous a assignés ou que vous avez négociés.

La préparation portera donc essentiellement sur ces faits et sur leur justification. Cette justification ne doit pas être « défensive » comme disent les psychologues, c'est-à-dire que vous ne devez ni nier les faits, ni en rejeter toute la responsabilité sur autrui. Une faute avouée est à moitié pardonnée, dit-on, ce qui n'est qu'à moitié vrai, car il ne faut avouer que ce qui est connu, bien évidemment. Mais il serait de tout aussi mauvais goût de nier ce qui est connu, que d'avouer ce qu'on ne vous demande pas.

Quant au déroulement, on peut répéter ici ce qui a été dit à propos de l'entretien de recrutement : votre supérieur n'est pas un spécialiste de ce genre d'entretien. Il y a donc de fortes chances pour qu'il soit aussi mal à l'aise que vous. Il préfèrerait sans doute vous apprécier en votre absence, seul dans son bureau. De votre côté (et c'est normal) vous n'êtes pas non plus parfaitement à l'aise, dans une phase relativement critique de votre vie professionnelle. En fait, il s'agit d'un rapport de forces, et prendra l'avantage, celui qui maîtrisera le mieux son malaise et profitera de celui de l'autre.

Ceci étant, le point important à déterminer est celui-ci : votre supérieur sera-t-il plus indulgent s'il est plus mal à son aise ou moins mal à son aise. Suivant le cas, votre stratégie sera différente : dans un cas il faudra réduire son malaise, et dans l'autre, l'augmenter.

10/ Hommes et femmes

In cauda venenum.

Tout ce que nous avons dit précédemment, se situait dans un univers neutre, où n'intervenaient ni le féminin ni le masculin. En fait, implicitement, cela se situait dans un univers masculin, dans un univers tel que le pensent les hommes : le supérieur est toujours un homme et le subordonné, indifféremment un homme ou une femme. Ce qui est de moins en moins vrai, même dans les entreprises industrielles.

En quoi la différence des sexes spécifie-t-elle la relation hiérarchique ? Et d'abord en quoi consiste cette différence ?

L'immense littérature que les hommes ont consacrée aux femmes (les femmes dans l'ensemble ayant fort peu écrit) oscille entre deux pôles : l'un de gauloiserie passablement méprisante et l'autre d'idéalisation passablement irréelle. Le premier est le plus important : les femmes ont à peu près tous les défauts, c'est bien connu. Quant aux hommes, eh bien ! ils en souffrent. Traditionnellement, on reconnaît aux femmes, pour le meilleur et pour le pire, une affectivité plus à fleur de peau, plus mobilisable, envahissant même souvent la sphère intellectuelle. On leur reconnaît plus de sensibilité, plus d'intuition, plus de délicatesse, une possibilité de déplacement de sentiments maternels sur d'autres personnes ou d'autres activités.

On leur reconnaît aussi plus de patience, plus d'habileté manuelle. A l'inverse elles sont, dit-on, plus fatigables, moins résistantes, plus souvent absentes, moins responsables, moins stables.

En fait, les études de sociologie industrielle consacrée à ces problèmes montrent que ces différences s'évanouissent dès qu'on veut les cerner de plus près.

Par ailleurs, si l'on regarde autour de soi les femmes qui ont accédé à des postes de responsabilité, on est frappé par d'autres différences, car ces femmes sont en moyenne, plus intelligentes, plus travailleuses, plus responsables et plus efficaces (parfois, terriblement !).

Il y a à ceci plusieurs raisons possibles. La première est que ces femmes sont sur-sélectionnées, le système social leur étant dans l'ensemble plus sévère. Elles représentent donc une plus petite élite et il est normal que leurs qualités dépassent la moyenne. Une autre raison peut tenir au fait que, pour accéder à ces postes, elles ont dû se battre plus que les hommes et là aussi démontrer des qualités au-dessus de la moyenne. Ajoutons que la maternité est la plus lourde responsabilité que puisse avoir l'humanité et que, dans la plupart des sociétés, les femmes s'occupent des choses sérieuses, tandis que les hommes font les coqs, font la guerre, font de l'art, toutes choses dont la futilité est exemplaire.

En fait les différences entre hommes et femmes sont surtout individuelles : il y a plus de différences entre bien des femmes ou entre bien des hommes qu'entre les femmes en général et les hommes en général. Il reste cependant une différence, et qui est radicale, c'est que les hommes sont des hommes et les femmes sont des femmes et que leurs relations sont fortement marquées par leur affectivité. Pour un sexe, l'autre sexe c'est ce qui, dans la vie, a probablement donné le plus de peine et le plus de plaisir. De ces plaisirs ou de ces douleurs, chacun reste profondément marqué par le désir et par l'angoisse et le plus souvent par les deux entremêlés. Il est donc très difficile d'avoir avec l'autre sexe une relation qui serait une relation professionnelle pure, qui ne serait pas tributaire de ces autres relations réelles ou imaginaires.

Ce qui complique encore les choses, c'est qu'au fond de son inconscient, aucun individu n'est absolument sûr de son sexe ni de satisfaire aux exigences supposées de son sexe. D'où des attitudes extrêmement défensives de chacun quant à tout ce qui pourrait paraître remettre en cause la construction de son propre sexe. Crainte de ne pas être tout à fait de son sexe, crainte de ne pas satisfaire aux exigences de l'autre sexe, expliquent une bonne partie de ces attitudes de dénigrement réciproque : l'autre sexe est ceci ou cela, ou cette exaltation de la supériorité que représente le « machisme » et qui n'est qu'une variété de défense contre l'homosexualité. A l'inverse, la revendication masculine inconsciente rend certaines femmes particulièrement dures ou castratrices même sous les dehors les plus séducteurs.

La différence, comme le montre le racisme, est une chose difficile à assumer. Exagérée ou niée, selon les cas, et parfois dans le même mouvement, elle est rarement reconnue comme telle, c'est-à-dire seulement comme une différence, et non comme une supériorité ou une infériorité. L'autre est toujours ressenti comme dangereux pour l'intégrité psychique de chacun.

Même professionnelle, la relation entre hommes et femmes ne sera donc jamais simple. Surtout, elle sera très dépendante de ces fantasmes inconscients qui gouvernent notre vie affective et sont les sources de nos joies et de nos peines, de nos goûts et de nos dégoûts, de tout ce qui colore notre vie et lui donne un sens. Et c'est pour chacun un domaine si secret qu'il est difficile à gérer.

Une relation classique : supérieur homme et subordonnée femme

> « J'ai beaucoup à dire, pense le poisson, mais j'ai la bouche pleine d'eau. »
> (Proverbe géorgien)

La première possibilité : subordonnée femme et supérieur homme est la situation la plus courante, celle qui est conforme aux habitudes de notre société. Cette conformité a un avantage : le plus souvent, les hommes comme les femmes reproduisent dans cette relation, la relation qu'ils entretiennent par ailleurs respectivement avec d'autres hommes et d'autres femmes. Il y a là une indication précieuse pour la femme subordonnée quant à la connaissance de son supérieur. Il faut cependant faire attention aux phénomènes de compensation : un homme dominé dans son foyer aura tendance à jouer au petit chef dans son service.

Ajoutons que beaucoup d'hommes, et contrairement à ce qu'ils avancent, ont peur de la féminité : une femme les perturbe, une jolie femme les angoisse. Cela pourra se traduire par une certaine démission qui limitera l'interaction. Plutôt que d'affronter la femme, le supérieur laissera tranquille la subordonnée. Cela pourra se traduire par un certain sadisme : faire trembler ou faire pleurer seront vécus comme une ré-assurance de la virilité. Ce n'est donc pas un avantage certain que la nature vous ait comblée de dons et que vous sachiez en tirer parti. On sait par exemple, que si les filles jolies réussissent mieux les oraux de leurs examens, les filles très belles les passent plus difficilement : jalousie des femmes et sadisme des hommes s'en mêlent.

Cependant, la probabilité la plus forte est cependant que votre supérieur joue le jeu de la séduction. Ce n'est pas non plus forcément un avantage. Soit qu'il veuille aller trop loin et dépasse les bornes d'une amicale galanterie, soit qu'il réussisse plus ou moins et en profite pour vous demander un travail plus important et surtout ces services quotidiens qui ne connaissent ni le jour ni la nuit, ni les semaines ni les dimanches et vous mettent dans une cage, même si elle est dorée. Certains hommes, par exemple, ont une fâcheuse tendance à confondre leur secrétaire avec leur femme, c'est-à-dire avec leur domestique.

Il y a donc de fortes chances que votre supérieur, soit exalte le caractère affectif de la relation en se présentant comme séducteur ou en vous mettant en position de séductrice, soit au contraire occulte complètement ce caractère par sa froideur et son mépris. Le jeu est plus facile dans le premier cas, car le supérieur est pris à son propre piège, enfermé dans une attitude qu'il ne peut plus abandonner. Dans le second, la seule solution est de ne pas se départir d'une attitude strictement professionnelle. Mais au fond, on vous en voudra toujours d'être une femme.

Dans tous les cas, soyez assurée qu'il y a au fond de tout homme un reste de petit garçon qui a peur dans le noir. Séduction ou froideur ne sont que les deux faces d'une même réalité. Un homme, quelles que soient les apparences (et peut-être surtout si les apparences sont extrêmement viriles), doute toujours de lui et des autres. Rassurer son narcissisme est une nécessité vitale pour lui. Jouez là-dessus.

Une relation inhabituelle : supérieure femme et subordonné homme

> « Si une femme ne t'aime pas, elle dit que tu es son frère. »
>
> (Proverbe baoulé)

La relation d'un homme subordonné avec un supérieur femme est une situation beaucoup plus difficile, car au fond ni l'un ni l'autre n'ont guère d'expérience similaire de ce type de relation, leurs autres relations dans notre système social étant le plus souvent l'inverse de celle-ci. Du moins les hommes le croient-ils, et chacun sait qu'en sociologie, ce que les gens croient vrai est vrai dans ses conséquences (tout au moins, dans une bonne partie).

On ne saurait trop conseiller aux directions du personnel d'éviter au moins deux cas de figures. Le premier est celui d'une femme commandant d'anciens égaux à la suite d'une promotion. C'est déjà une situation difficile entre hommes. Un changement de service paraîtrait une solution plus élégante. L'autre situation à éviter est celle d'une femme commandant des hommes plus âgés qu'elle. C'est une situation trop proche de celle de la paternité pour que son renversement s'effectue sans difficultés. Ou il y faudra bien du doigté...

Si en revanche la femme supérieure est plus âgée que ses subordonnés hommes, la situation est plus facile. Cela réveillera cependant chez bien des femmes des fantasmes maternels. En tant que subordonné, méfiez-vous que ces fantasmes ne réveillent chez vous des fantasmes de mère trop maternante, odieuse à votre virilité ou de mère castratrice, tout aussi odieuse.

Évitez par exemple de tomber dans le piège illustré par un épisode du « M. Ripois et la Nemesis » de L. Hemon, popularisé par un film dont la vedette est G. Philipe. Ce dernier est employé sous les ordres d'un chef de bureau femme plus âgée que lui. Le travail de l'employé est particulièrement sans intérêt : tamponner des imprimés et toute son énergie se concentre dans sa vie privée orientée vers les femmes. Un beau jour, il frappe un grand coup et convoqué dans le bureau de sa supérieure, il lui offre un immense flacon de parfum. Puis ils vivent ensemble, puis la femme se révèle trop autoritaire aux yeux de M. Ripois, qui la quitte. Peu de temps après, il est renvoyé de son travail et accuse violemment son supérieur de s'être ainsi vengée.

Bien que M. Ripois soit fort sympathique, les torts sont manifestement de son côté. Il oscille entre la séduction et la haine, les deux n'étant que la manifestation de son mépris. Cette exagération affective est évidemment ici quelque peu caricaturale. Cependant, sous des formes atténuées, elle guette beaucoup d'hommes.

Si votre supérieure est une femme, on peut encore distinguer deux autres possibilités selon que vous êtes le seul homme ou presque sous ses ordres ou qu'au contraire presque tous ses subordonnés sont des hommes.

Dans le premier cas, vous êtes un homme heureux ou vous devriez l'être. Méfiez-vous cependant car c'est dans les situations faciles que l'on fait le plus d'erreurs. N'essayez surtout pas de profiter de la situation en faisant à votre supérieure une cour discrète ou forcenée. Soyez courtois, serviable, rendez de petits services à la limite du service personnel, mais rien de plus. On vous en saura gré. En revanche, que n'excitez-vous un rien de jalousie en étant encore plus courtois et serviable vis-à-vis de vos collègues féminines !

Si, en revanche, vous n'êtes qu'un subordonné homme parmi beaucoup d'autres, la première constatation à faire c'est que c'est sans doute pour elle, une situation relativement difficile et qui lui pose quelques problèmes. Nous l'avons vu précédemment, lorsqu'un supérieur a des problèmes deux attitudes paraissent évidentes : ou collaborer pour faciliter la résolution de ces problèmes ou accroître lesdits problèmes. Le choix ici ne peut se faire qu'en fonction d'une étude attentive de vous, de votre supérieure et de l'environnement. On peut cependant penser que la plupart de vos collègues auront du mal à avoir une attitude de collaboration vraiment totale. Il y a sans doute là une opportunité à saisir, dont on vous saura gré. Attention cependant à ce que cette collaboration n'apparaisse pas comme une sorte de « cour ». Soyez professionnel au maximum.

La seconde constatation à faire, c'est que vous n'avez peut-être pas totalement abandonné une certaine notion de supériorité masculine et qu'au fond la situation actuelle vous paraît un peu injuste. Cette notion de supériorité masculine peut revêtir des formes diverses. Elle peut se vouloir protectrice, ce qui agacera certainement votre supérieure. Elle peut tenter de s'imposer, ce qui agacera tout autant. Je suis d'accord que bien des subordonnés sont fort supérieurs à leurs supérieurs et que comme le note Lesage : « aux vertus qu'on demande aux domestiques, connaît-on beaucoup de maîtres qui soient dignes d'être valets », mais c'est une remarque de domestique !

La troisième constatation à faire est que le plus souvent dans ce type de situation, la plupart des hommes imputent à la « féminité », le moindre défaut ou le moindre incident : les femmes sont plus souvent en retard ou absentes ou ceci ou cela. Nous avons vu que ces différences étaient le plus souvent illusoires. Votre supérieure a des qualités et des défauts, mais en tant qu'individu et non en tant qu'appartenant au genre féminin. De toutes façons si vous n'arrivez pas à vous défaire de ce genre d'imputation au sexe féminin (et c'est difficile), ne le dites surtout pas. Rien n'agace plus une femme responsable qu'un « éternel féminin » auquel elle se sent étrangère, même (et surtout) si elle n'y est pas si étrangère que ça.

Dans tous les cas, soyez attentif à quelques autres variables.

Une de ces variables est, si j'ose dire, le degré de féminité de votre supérieure. Est-elle jolie ou belle ? Met-elle à se maquiller un soin particulier ? Change-t-elle de robe au gré des modes et des saisons ? Ses bijoux sont-ils choisis avec un goût personnel ?

Il va de soi que la réponse à cette question doit orienter une partie de votre attitude. Une femme (qu'elle soit réellement jolie ou non, importe peu) qui met en valeur sa féminité, ne peut être gérée de la même façon qu'une femme qui la nie ou simplement la néglige. Dans le premier cas, elle ne verra pas d'inconvénient à ce que le subordonné fasse preuve d'une certaine « virilité ». Dans le second, le subordonné aura intérêt à être strictement professionnel.

Une autre variable est celle de la féminité « inconsciente ». Certaines femmes, même très féminines apparemment et très séductrices, semblent ne s'être pas totalement résolues à accepter leur féminité. Elles semblent toujours brandir quelque chose qui est de l'ordre du phallus. Souvent, elles semblent vouloir écraser tout le monde au nom d'une compétence à laquelle les autres sont radicalement étrangers (disent-elles). Elles sont dures, cassantes, impérieuses. Toute contradiction leur apparaîtra comme une attaque contre elles mais aussi contre les femmes en général. C'est pratiquement ingérable !

Une autre relation inhabituelle : supérieure femme et subordonnée femme

> « La tortue d'eau et la tortue de terre savent où se mordre. »
>
> (Proverbe baoulé)

Enfin, dernière possibilité, vous êtes femme et votre supérieure est également une femme.

Dans un univers purement ou presque purement masculin, les choses sont peut-être plus faciles, supérieur et subordonné ayant peut-être intérêt à faire un front commun. Attention cependant, que cela sera vu par les autres, par les hommes, comme une complicité abusive. En cas de problèmes graves, vous risquez de payer pour les deux. Cependant, sauf exception, la collaboration s'impose dans ce cas.

Dans un univers vraiment mixte, les choses sont plus complexes. Le principal écueil à éviter est probablement d'entrer en compétition.

Sur le plan professionnel d'abord. Rappelons-le, une femme responsable a généralement dû se battre pour accéder au poste qu'elle occupe. Ou elle aura démontré des qualités au-dessus de la moyenne (des hommes, bien sûr). Il est possible qu'une partie de l'environnement lui reste un peu hostile, ou du moins croit-elle qu'il en est ainsi. Il est probable que tout ceci la rende quelque peu agressive et que particulièrement, elle ait un sens aigu de son territoire, c'est-à-dire qu'elle défendra ses prérogatives, voudra que tout lui passe par les mains et souffrira mal le moindre empiètement.

Vous devrez donc être très attentive à ce fait et vous montrer un vassal d'une loyauté sans faille. Ceci étant, ne vous laissez pas trop « subordonner ». Car, comme le rappelle un proverbe

Wou : « L'esclave d'un homme est son vassal, le vassal d'une femme son esclave. »

Sur le plan de la féminité, les choses sont encore plus délicates. Si votre supérieure porte un éternel tailleur gris, fut-il de chez Chanel, ne décolletez pas trop vos robes, et si vos collègues vous trouvent charmante, que ce soit uniquement hors des heures de bureau. Si d'un autre côté, elle arbore une féminité virevoltante ou même seulement épanouie, soyez encore plus prudente : toute fleur qui vous sera offerte sera une pierre dans son jardin. « La passoire reproche à l'aiguille d'avoir un trou. » Si la différence d'âge le permet, soulignez toute la distance qu'il y a entre une gamine comme vous et la splendeur d'une femme accomplie. Si la différence d'âge est trop à l'avantage de la gamine, voyez donc du côté du supérieur de votre supérieure !

En conclusion, les relations entre hommes et femmes sont de celles qui ont été les plus bouleversées depuis quelques années. A des torts certains du côté des hommes, un peu trop dominants depuis quelques siècles, a répondu un féminisme qui n'a pas su éviter quelques excès. Il serait vain de donner tort à l'une ou l'autre partie, ou même de les partager. Ceci étant, la situation actuelle, quelque peu confuse, ne facilite pas des positions équilibrées.

La principale erreur dans ce domaine serait sans doute de généraliser, la généralisation étant ici particulièrement abusive. Chaque supérieur, homme ou femme, doit être envisagé en tant qu'individu particulier, avec ses qualités et ses défauts, son caractère... et son inconscient. Tout particulièrement dans le cas d'un homme dont le supérieur est une femme. C'est une situation complexe dont il faut envisager toute la complexité. Gérer un supérieur femme ne peut s'envisager qu'avec le maximum de froideur, en dehors de tout mouvement irraisonné, et en y mettant du sien car « c'est sur la partie brûlée de la tarte que l'on met le plus de sucre ».

Conclusion

« On ne fait pas de procession pour tailler la vigne. »

(Proverve français)

La gestion de stocks semble être le « pont aux ânes » de la gestion pour les artisans qui passent au stade industriel, aussi bien dans les pays développés que dans les pays en voie de développement. C'est qu'une gestion de stocks correcte implique au moins trois éléments : le sens du futur, le sens de l'organisation, le sens de la rentabilité avec une possession physique réduite au minimum. Or ces trois éléments qui pourraient paraître ressortir à une rationalité pure, sont en fait très profondément ancrés dans l'affectivité. Le futur est une catégorie pénible à penser car « à long terme, nous sommes tous morts » ; l'organisation est une contrainte de chaque instant qui semble détruire toute spontanéité ; la possession physique, directe, visible, semble être la possession par excellence.

Ce qui rend toute gestion difficile, c'est que ces éléments constitutifs, fondamentaux ne sont qu'apparemment rationnels, mais sont en fait enracinés dans l'affectivité et dans l'affectivité la plus inconsciente. Et la gestion d'un supérieur hiérarchique, encore plus que toute autre forme de gestion.

En effet, et nous y avons fait allusion à plusieurs reprises, un supérieur concentre sur lui une charge formidable d'affectivité. Il représente cette double fonction, que nous avons rencontrée tout au long de notre vie à travers parents et éducateurs, d'obligations et d'interdictions, de récompenses et de satisfactions. C'est pourquoi certains supérieurs sont aimés ; d'autres sont haïs ; la plupart sont à la fois respectés et détestés dans des proportions variables. Mais dans presque tous les cas, et quelles que soient les apparences, l'ambivalence, c'est-à-dire la présence d'éléments positifs et négatifs intimement mêlés, est certaine.

Par ailleurs, le supérieur n'est pas seulement le représentant du passé. Il a un pouvoir actuel fort réel. Non pas que, dans de nombreux cas, il puisse toucher fortement au statut, au salaire, à la promotion, etc. Mais il a un pouvoir quotidien de faciliter les choses ou de les compliquer. Et ce pouvoir quotidien touche directement à l'affectivité, car il touche à tous les éléments, secondaires peut-être, mais qui accumulés, font que la vie professionnelle est agréable ou pénible. C'est le « bien dans sa peau », la « joie de vivre », qui sont en cause.

Face à ces éléments affectifs très forts, une gestion correcte de son supérieur hiérarchique suppose plusieurs éléments. Elle suppose d'abord une prise de conscience de ces éléments affectifs et leur réduction au minimum incompressible. Cela suppose ensuite un sérieux effort de rationalité.

Certes, on ne gère pas des êtres humains comme des objets, car ils ont leur volonté propre et l'on est beaucoup plus affectif vis-à-vis d'eux. Ce ne peut être donc un idéal que de confondre la gestion des hommes et celle des objets. Mais c'est peut-être une bonne chose que de les rapprocher. Personne en effet n'oserait justifier un mouvement de pièce aux échecs, par un effet de la mauvaise humeur. Et l'on justifie bien une réponse à un autre individu par l'effet de l'agacement.

Soulignons un autre aspect. Il n'y a pas de miracle dans ce domaine, il ne peut y avoir que des améliorations partielles... c'est d'ailleurs vrai de toute gestion. Un système bien géré est un système qui optimise le maximum des facteurs, même si chacun de ces facteurs pris en soi, apparaît comme pouvant être négligé. La gestion d'un supérieur obéit aux mêmes principes. Il faut en considérer tous les aspects, en surveiller tous les détails, tirer parti de toutes les occasions, jouer sur tous les éléments.

Cela suppose d'abord d'abandonner une attitude trop courante qui consiste à envisager la hiérarchie, et particulièrement son supérieur immédiat, comme une contrainte, c'est-à-dire comme quelque chose sur laquelle on n'a pas plus de prise que le mauvais temps et qu'il faut donc subir, quitte à dépenser une énergie non négligeable à se plaindre de ce mauvais temps. Si on ne fait pas de procession pour tailler la vigne, c'est que cette taille ne relève pas d'un aléa de la nature, mais d'un travail monotone qui demande cependant réflexion et connaissance.

Dépôt légal : mars 1985
Dépôt légal 1re édition : 1er trimestre 1984
Imprimerie Dumas - 42100 Saint-Étienne
Numéro d'imprimeur : 26 952

Imprimé en France